Narratori ◄ Feltrinelli

Marco Mancassola
Gli amici del deserto

© Giangiacomo Feltrinelli Editore Milano
Prima edizione ne "I Narratori" maggio 2013
Copyright © 2013 Marco Mancassola
Pubblicato in accordo con PNLA/Piergiorgio Nicolazzini Literary Agency

Stampa Nuovo Istituto Italiano d'Arti Grafiche - BG

ISBN 978-88-07-03048-2

www.feltrinellieditore.it
Libri in uscita, interviste, reading,
commenti e percorsi di lettura.
Aggiornamenti quotidiani

razzismobruttastoria.net

Gli amici del deserto

E sentì stranamente uno straniero dire:
io sono con te.

RAINER MARIA RILKE

I.

Big Sur

Fu l'estate in cui il mondo sembrava andare sempre più a rotoli, io ero sul punto di compiere trentatré anni e stavo trascorrendo alcuni mesi in un monastero sulla costa californiana.

Non ero nel pieno di una crisi spirituale e neppure ero religioso. Soltanto, avevo bisogno di un rifugio come quello, una comunità di eremiti pacifici e tolleranti che occupavano un'area di strepitosa bellezza tra le colline di Big Sur.

Inoltre c'era mio fratello. Da una manciata d'anni, Rudi viveva sul luogo come membro della congregazione. Aveva girato per anni i continenti alla ricerca della comunità perfetta, aveva ballato con i sufi e meditato con gli zen giapponesi. Se era infine tornato al misticismo cristiano, aveva scelto comunque un posto in capo al mondo. Lontano dai vescovi e dalle gerarchie e dalle loro stronzate.

Nonostante lo scetticismo di nostro padre, Rudi era cresciuto con l'idea di essere un monaco e di voler vivere in una società di monaci – uomini che amavano il mondo al punto tale da preferire lasciarlo in pace, guardarlo da lontano con affettuoso distacco.

Io al contrario ero stato macinato dalla vicinanza delle cose, e non potevo che invidiare questo tipo di amore.

***

Ogni giorno uscivo dalla mia roulotte tra la vegetazione bassa, nell'area dove alloggiavano i visitatori, assorbendo l'ossigeno del primo mattino.

Respiravo per liberarmi dal sapore dei sogni notturni e dalle sensazioni con cui ancora a volte mi svegliavo. Le sensazioni degli ultimi tempi della vita a Milano – amici depressi, giornate a riscrivere centinaia di volte il mio CV, cene monoporzione scaldate al microonde. Notti a battere i bar e le feste degli uffici stampa in cerca di oblio sentimentale.

Sì, respiravo. Laggiù ai piedi della collina un banco di nebbia copriva puntualmente l'oceano, e sotto la nebbia si udiva la marea del mattino. Con il crescere della luce il frinire dei grilli sfumava in una pausa di silenzio stupito.

Mi incamminavo lungo il sentiero di terra battuta e tra i cespugli, spesso, scorgevo il balenare di un gruppo di caprioli, che si ritiravano sulla parte alta e boscosa della collina dopo aver banchettato, come ogni notte, con le preziose rose nei giardini dei monaci.

Raggiungevo la piccola cappella di pietra dove trovavo i monaci già riuniti, a occhi chiusi, nel canto dei salmi. Mi piaceva stare ad ascoltarli. Mi lasciavo ipnotizzare dalla grazia del coro che si sdoppiava, si riuniva, si affievoliva e sfumava e tornava a ondate, come il boato dell'oceano che sentivo dalla mia roulotte.

Solo il mio stomaco privo di colazione rifiutava tanta poesia. Preferiva brontolare in modo imbarazzante.

La colazione infine veniva servita nel refettorio del monastero, uno stanzone occupato da tavoli di legno grezzo. Sul tavolo centrale venivano disposti cesti di frutta, pane tostato, ciotole di cereali, vasi di yogurt fatto in casa, frittelle di tofu croccante. La cucina vegetariana non era mai stata il mio forte, però non esitavo a servirmi.

Oltre che per calmare lo stomaco, la colazione era un momento per osservare la comunità.

Sul luogo viveva una ventina di eremiti. Erano uomini di età variabile, quasi tutti con il semplice taglio corto di chi usa una macchinetta per i capelli, alcuni con una barba vistosa. Non che avessero tutti un viso santo. In compenso la maggior parte di loro, compresi i più giovani, aveva un modo pacato di muoversi, e un sorriso che sembrava esprimere un qualche tipo di tregua con i problemi pressanti, che l'ultima epoca aveva reso così perversi – i problemi di come riconoscere il proprio posto al mondo, e di come impedire a un'epoca assurda di rendere assurda la propria vita.

***

Ai monaci si univano gli ospiti di passaggio. Amici, parenti, viaggiatori, turisti spirituali o curiosi.

Ne capitavano di ogni tipo: hippy attempati con capelli biondogrigi, tizi con versetti di poesia mistica o del *Dhammapada* tatuati su una spalla, studenti di filosofia, zitelle a caccia di estasi immateriali, ciclisti che attraversavano la California sotto il sole e cercavano un posto economico dove fermarsi.

Gli ospiti venivano, occupavano una delle roulotte disseminate sulla collina, assaporavano la pace del luogo. Si alzavano all'alba come gli eremiti, meditavano tra gli alberi, si rilassavano, aspettavano illuminazioni, qualcuno fumava marijuana nascosto dietro i cespugli e qualcun altro si annoiava a morte. Lasciavano trascorrere qualche giorno e ripartivano, riprendendo la strada verso Monterey o proseguendo a sud lungo il nastro della State Route 1.

Io ero quello che non ripartiva. Ero arrivato in primavera e ormai era piena estate e non accennavo ad andare.

Contribuivo alla vita della comunità lavorando alcune ore al giorno a sistemare i sentieri e le staccionate dei giardini. I monaci sembravano essersi abituati alla mia presenza e nessuno, neppure Rudi, mi interrogava sui miei piani.

Soltanto Brother Lucius sembrava studiarmi, spesso, con sguardo indagatore.

Si trattava di un monaco intorno ai sessant'anni, abbastanza silenzioso, occhi celesti e penetranti. Assieme allo sguardo indagatore, la cosa più evidente di lui era la grossa pancia. Passava intere mezze giornate sul tetto piatto della sua cella, inforcando un binocolo, per individuare tracce di incendi lungo la costa e per studiare i movimenti di un paio di rarissimi condor che avevano nidificato nella zona. Si diceva che avesse una vista straordinaria.

Rudi mi assicurava che Brother Lucius era inoffensivo. Anzi, persino spiritoso. Io non lo avevo mai visto ridere.

Ogni volta che mi trovavo addosso il suo sguardo, nel refettorio o nella cappella o lungo uno dei sentieri, ero certo mi stesse studiando. Mi osservava con occhi pungenti. Senza dubbio si poneva delle domande. Doveva chiedersi cosa cercavo in un monastero sperduto, e cosa ci facevo lì, nel pieno di una torrida estate californiana, a decine di chilometri dall'abitato più vicino. Non avevo l'aria di un credente. Non avevo intenzione di farmi monaco. Perché mi stavo fermando tanto? Solo per via di mio fratello?

***

Erano domande interessanti. Peccato che rispondere fosse tanto difficile. Qualunque tentativo di riflettere sul mio futuro mi portava in una zona di pensieri sfocati.

Di notte ascoltavo l'oceano come fosse la voce di un veggente. Ogni cosa ormai sembrava possibile, ogni cosa potermi succedere: aspettare in eterno, lasciarmi morire di incertezza, finire a fare il barbone oppure innamorarmi di nuovo, incontrare qualcuno, non incontrare nessuno.

In Italia, ero vissuto fino a un anno prima con una catena di lavori, l'ultimo come addetto stampa di una fondazione.

Non avevo un posto dove tornare. Il lavoro di addetto stampa era evaporato con i finanziamenti alla fondazione. L'affitto del monolocale squallido dove avevo resistito nell'ultimo periodo era disdetto.

Tutto ciò che mi era rimasto era un conto in banca con l'equivalente di un paio di stipendi, non molto altro. Ma non era solo la situazione economica a bloccarmi.

Di tutto quello che mi ero lasciato alle spalle, il pensiero più ricorrente andava alle donne che avevo conosciuto, sfiorato, stretto inutilmente contro di me. E a quella che per anni era stata, per me, la regina triste di tutte le donne. Kareen... Pensare a lei mi faceva bruciare la gola come dopo un lungo grido.

Per questo dicevo a me stesso che mi serviva un altro poco di tempo nell'eremo. Un altro poco, un altro poco ancora.

Nessuna fretta di tornare là fuori, nella tempesta di polvere che era il mondo, dove la gente si agitava isterica e perdeva il lavoro e si accoppiava e si lasciava senza comprendersi, senza davvero essersi riconosciuta.

***

Un pomeriggio, mentre fuori il sole infuocava la collina e io me ne stavo a leggere nella roulotte, sentii bussare alla porta.

Rudi entrò portandosi dietro un soffio di aria bollente. "Che giornata," commentò con buonumore. "Se continua così, un giorno di questi possiamo prendere la macchina e andarcene a nuotare su a Monterey."

Indossava una T-shirt e un paio di bermuda, aveva gambe abbronzate e piedi nudi. Durante la giornata, quando non erano impegnati nella cappella, i monaci erano liberi di sbarazzarsi della veste bianca. E persino conciato come una specie di bagnino, mio fratello non perdeva molto della sua aria mistica. Un sorriso perenne gli aleggiava sulle labbra. "Ci sono notizie," accennò.

"Buone o cattive?"

"Ovviamente buone." Si guardò intorno e individuò il mio computer portatile, dal quale proveniva un soffio di musica blues. "Si può sapere perché ascolti questa noia?"

"Non è una noia," protestai. "Stiamo ascoltando Johnny Cash."

Si avvicinò al computer, scartabellò tra i file musicali e fece partire un pezzo dance. "D'accordo che siamo in un eremo, ma non significa che siamo in un cimitero."

Mistico in bermuda, amante della musica dance. Ecco chi era mio fratello.

Mio malgrado sorrisi. Estrassi dal microscopico frigo in dotazione nella roulotte una lattina di Coca e gliela allungai. "Insomma, queste notizie?"

Rudi aprì la lattina facendone uscire uno sbuffo di gas. Bevve un goccio, seguì con la testa il ritmo della nuova canzone prima di decidersi a spiegare: "Sono stato in biblioteca. Ho trovato una mail del tuo amico Danilo. Dice che ha provato a scriverti più volte e non hai risposto".

"Uh," feci cautamente.

Non stavo controllando molto la posta. Al monastero non esisteva un wi-fi e l'unico modo di collegarsi in rete era attraverso la presa telefonica nella biblioteca, un collegamento arcaico e di lentezza esasperante. A dire il vero, non trovavo male stare un poco sconnesso.

"Danilo mi chiede di dirti che laggiù a Milano l'estate è uno strazio. Si sente solo e ha deciso di partire."

"Partire per dove?"

"Per la California, dove altro? Ha deciso di raggiungerci. Credo che in questo momento..." Rudi gettò un'occhiata allo schermo del computer per controllare l'ora. "Credo sia decollato da poco."

"Uh," ripetei.

"Cos'è quella faccia?"

"Diciamo che questa non me l'aspettavo."

"Vedrai che il monastero farà bene anche a lui. Quassù c'è posto per tutti." L'idea che un'altra anima persa venisse a rifugiarsi nel suo monastero sembrava deliziarlo. Sollevò la lattina a suggerire un brindisi e schiacciò il tasto del computer per alzare il volume.

Mi limitai a crollare su una sedia. Non che fossi dispiaciuto, non del tutto almeno. Stavamo pur sempre parlando del mio migliore amico, una delle persone che amavo di più al mondo.

Io e Danilo Scotti ci conoscevamo da tempi lontani. Eravamo stati compagni di liceo, di università, di viaggi, avevamo condiviso un'infinità di esperienze: sacchi a pelo, festival musicali, delusioni politiche, illusioni digitali – tutta la stramba avventura di aver avuto vent'anni alla fine del ventesimo secolo e quella altrettanto stramba di ritrovarsi di colpo oltre i trenta, con già una buona dose di guai alle spalle.

Era un fratello di spirito quanto Rudi lo era di sangue. Eppure non ero tanto sicuro, a differenza di Rudi, che il suo arrivo a Big Sur fosse una buona notizia.

"Strano," riflettei. Potevo comprendere che Danilo non avesse voglia di restare a Milano in piena estate – la desolazione della città surriscaldata, i locali chiusi e nessuna opportunità di lavoro. Ma non capivo il proposito di raggiungerci al monastero. Non era un tipo da ritiro spirituale e aveva sempre mostrato sarcasmo verso le scelte di mio fratello.

"In verità..." disse Rudi, forse intuendo i miei dubbi. "Il tuo amico dice che ha in progetto di prelevarti e partire per una spedizione nel deserto. Ha questa idea di spingersi non so dove. Andare in cerca di un certo sciamano o qualcosa del genere."

"Deserto? Sciamano?" chiesi con voce un poco strozzata.

"Dice che qualcuno gli ha parlato di questo sciamano. Un guaritore in grado di scacciare la depressione. Suona esotico, non trovi?"

"Chi mai gli avrebbe parlato, a Milano, di un guaritore nel deserto della California?"

"Mah," provò a rassicurarmi. "Magari, una volta arrivato, Danilo si troverà bene qui da noi."

"Ne dubito." Feci una smorfia pensando alle distese riarse nell'entroterra, le cui temperature diurne, a quanto sapevo, in quel periodo dell'anno potevano sfiorare i cinquanta gradi.

Di sicuro il mio amico non mi avrebbe trascinato nel deserto in piena estate.

Al monastero stavo meravigliosamente. Occupavo una roulotte fresca e avevo la vista sull'oceano e mangiavo in modo sano e avevo il tempo necessario per leggere e riflettere. Mi sentivo come uno di quegli antichi intellettuali che nel Medioevo trovavano rifugio nei monasteri. Là fuori le crisi finanziarie mettevano in ginocchio stati, continenti, il cambiamento climatico accelerava di giorno in giorno e l'umanità sussultava al ritmo delle sigle dei notiziari di Sky News. Non mi sarei mosso dal mio rifugio.

"Non sei felice?" insistette Rudi. "Il tuo migliore amico sta per raggiungerci."

A sentire il suo tono, pareva che stesse per arrivare il più devoto dei pellegrini, pronto a intonare salmi e a bruciare incenso nella cappella.

Conoscevo il vecchio Danilo. Potevo vederlo mentre viaggiava, adesso, sul sedile di un aereo verso l'Atlantico.

Potevo vederlo mentre raccontava al vicino di sedile gli effetti collaterali di qualche psicofarmaco sulla propria vita sessuale, o le ultime novità nel favoloso mondo dei siti web per adulti, per poi mettersi a russare a bocca aperta, senza scarpe, i calzini non proprio freschi di bucato, svegliandosi di soprassalto solo per chiedere alla hostess, con una strizzata d'occhio, di servirgli l'ennesimo generoso gin tonic.

***

Era un uomo sarcastico, malinconico, fin troppo schietto, paranoico. Era una persona d'oro. Era insopportabile. Da anni scendeva e saliva sulla giostra del disturbo bipolare e di recente, nel giro di poche settimane, la sua vita aveva perso dei pezzi importanti.

Per cominciare, il locale dove si esibiva tre sere alla settimana, di fatto la sua maggiore fonte di reddito, lo aveva licenziato.

Danilo era un artista sofisticato, a modo suo. Ma non si era reso conto che il pubblico era in calo e il poco che restava, beh, non aveva voglia di cose sofisticate.

Quindi era stato mollato dalla moglie, anche lei una comica impegnata a rimediare piccoli ingaggi. Era una vita già abbastanza dura e un giorno, come darle torto?, non se l'era più sentita di convivere con l'ingombrante complicatezza umorale del mio migliore amico.

Così in quest'estate ci ritrovavamo entrambi disoccupati. Ed entrambi soli.

Con la differenza che Danilo nutriva una spiccata inclinazione per gli psicofarmaci, soprattutto se mischiati all'alcol e a una varietà di sostanze tossiche, inclinazione che tendeva a esasperare la sua altra attitudine, altrettanto spiccata, verso le battute inopportune e il talento di creare situazioni imbarazzanti.

Arrivò il giorno successivo. Dopo quattordici ore di aereo in classe economica e quattro di autobus da San Francisco, era stanco e per ora non desiderava che un letto.

Gli fu assegnata una roulotte dietro una macchia di sambuco selvatico. Lo accolsi con un abbraccio e ostentai la massima pacatezza, agitandomi appena quando vidi cosa indossava. Proprio la scelta adatta per presentarsi in un monastero – una maglietta nera con la stampa di un vecchio film horror, *L'esorcista*.

Quando lo accompagnai nella roulotte, si guardò intorno sospettoso in cerca di rosari, ritratti di santi o cianfrusaglie del genere.

Gli spiegai di non preoccuparsi. Non era quel tipo di posto, non c'erano invasati religiosi, soltanto eremiti tranquilli e liberali.

Danilo fece un sorrisino scettico ed estrasse dalle tasche i suoi personali oggetti di culto, appoggiandoli in bella vista sul ripiano accanto al letto. Una boccetta di intramontabile Prozac e una di altrettanto intramontabile Paxil. Si riteneva troppo complesso per essere capito da un solo medico e frequentava più dottori facendosi ordinare farmaci diversi, che poi mixava secondo ricette sue.

Vecchi ricordi penosi si agitarono in me. Volevo bene a quell'uomo, avrei voluto aiutarlo. Soltanto, al momento non avevo risorse per farlo. E tutto sommato, non sempre hai bisogno di avere tra i piedi le persone che ami. Non potevi amarle anche a diecimila chilometri di distanza?

***

Rividi il nuovo arrivato il mattino seguente, quando si presentò per colazione nel refettorio.

Indossava una maglietta ancora meno adatta, quella di un gruppo heavy metal anni ottanta. Dal suo petto la mascotte zombie degli Iron Maiden, Eddie the Head, mi rivolgeva un ghigno satanico.

Danilo ignorò la mia occhiataccia e si guardò intorno. Studiò con perplessità il buffet. Credo non si fosse reso conto che al monastero si mangiava vegetariano, doveva essersi aspettato una tipica colazione americana.

Quando Father Raimundo, il priore, si avvicinò per chiedere se tutto andava bene, Danilo socchiuse gli occhi e dette una risposta delle sue. "Eminenza, tutto a posto. Stavo solo sperando, chissà se la vostra cucina può offrire un simpatico piatto di bacon."

Il vecchio priore trasecolò. Per fortuna, l'accento italiano del nuovo ospite sembrò impedirgli di comprendere in pieno.

Le cose non migliorarono con pranzo e cena. Danilo era insoddisfatto dal cibo troppo ascetico ed era deluso, soprattutto, dal fatto che a tavola non si servisse vino né altro tipo di alcol.

Quella sera mi trascinò in un angolo del refettorio e mi guardò con rimprovero: "Come hai fatto a resistere in un posto simile? Pensavo fosse una comunità di frati, non una congrega di mormoni proibizionisti".

"Esageri," provai. "La gente di questo posto è di mentalità aperta. Ad esempio hanno votato tutti per Obama."

"Ma che carini," commentò beffardo.

Qualcuno stava rassettando il tavolo e nella stanza aleggiava il ricordo dei profumi del pasto.

Father Raimundo e altri monaci stavano lasciando il refettorio, salutandoci con sorrisi benedicenti, ineffabili come quelli di neonati.

Per qualche motivo i loro sorrisi mi straziarono. Mi scavarono il petto come un uncino. La presenza del mio amico mi ricordava che in fondo non appartenevo a quel luogo, venivo da altrove, da un'altra storia, e questo bastava a farmi sentire colpevole, quasi un impostore.

"Che si dice, ragazzi?" Rudi ci aveva raggiunti.

"Eccoti. Meno male che ci sei tu," lo accolse Danilo. Non ricordavo che quei due fossero mai stati così amici. "Dove lo tenete il vino della messa?"

"Ah ah," feci io nervoso.

Danilo si ravvivò il ciuffo di capelli un poco radi, continuando a studiare mio fratello con speranza. "Non dirmi che ogni tanto non vi fate una bevutina anche senza il Signore."

Rudi scoppiò a ridere. "Detto fra noi, il vino della messa fa abbastanza schifo. Lo compriamo in un postaccio a tre dollari al litro. C'è un solo modo per renderlo decente..."

"Stai per dire quello che spero?" lo interruppe Danilo.

"Sangria," pronunciò Rudi.

"Bingo!" commentò Danilo. Mi guardò con aria di trionfo, mimò con le mani un paio di pistole e finse di spararmi.

"E pensare che fino a ieri era un posto tranquillo," osservai massaggiandomi una tempia.

"Lo ammetto," soffiò il mio amico appena Rudi si fu allontanato. "Sto riscoprendo tuo fratello. Non è male quel ragazzo. Peccato stia buttando la sua vita in questo posto."

Quella sera se ne andò nella cella di Rudi a sbevazzare sangria, un invito che lo neutralizzò almeno per un paio d'ore.

Fui io ad andare a letto con un disturbante batticuore, giacendo a occhi aperti sul materasso, mentre fuori l'oceano rumoreggiava e sulla collina trionfava il coro dei grilli. La brezza provocava sottili fruscii tra i cespugli fuori dalla roulotte. Potevo sentire ogni rumore notturno. A forza di starmene insonne, giunsi alla conclusione che non c'erano dubbi, nessuno, sul fatto che io e Danilo fossimo amici: messi vicini, la sua inquietudine aveva subito risvegliato la mia, come le corde di uno strumento capaci di vibrare, insieme, per pura risonanza.

***

La regina triste di tutte le donne mi visitò quella notte, mentre Danilo se ne stava a bere sangria. Del resto mi aveva visitato spesso, molte notti, persino nella pace di Big Sur.

Nel sogno, Kareen camminava su una spiaggia. Procedeva lenta eppure non la raggiungevo, arrancavo dietro di lei senza riuscire a toccarla. Vedevo i capelli ondulare e il movimento fluido delle sue spalle. Aveva piedi nudi che sfioravano appena la sabbia e lasciavano sul bagnasciuga impronte leggere, quasi inesistenti.

Era lei, la ragazza che mi era apparsa sedici anni prima al liceo, con gli occhi tristi e impazienti e una maglietta verde di Greenpeace che potevo ancora ricordare. La donna che avevo tenuto stretta nelle notti più buie, nelle sue crisi più dure, quella che avevo amato di uno struggimento ingenuo, impotente, con la convinzione di poterla guarire. La donna che si era svegliata accanto a me mille volte con un sussulto, in un bagno di sudore, stordita dai farmaci proprio come Danilo, molto peggio di lui.

Sulla spiaggia, provai ad accelerare per raggiungerla, il cuore che pulsava in gola e il fiato corto.

Quando infine lei si girò, il vento le mandò i capelli sul viso. Mi guardò inclinando la testa. Schiuse le labbra ma dalla sua bocca non uscirono parole, uscì invece un suono familiare. Era il suono della risacca... Aprii gli occhi. Il cuore protestava esasperato, tossii contro il cuscino. Fuori, nella notte,

23

l'oceano rumoreggiava con più violenza del solito, accanendosi sulla scogliera.

Tra poco il primo raggio dell'alba sarebbe entrato attraverso la finestrella e i caprioli sarebbero tornati nel bosco e l'intera collina avrebbe taciuto, trafitta dal nuovo giorno, trafitta dallo stupore. Danilo doveva russare nella sua roulotte e i monaci si preparavano a offrire i loro salmi.

Mi rigirai. Un'ondata di lucidità mi aveva investito. Una lucidità improvvisa, spaventosa, di quelle che vengono in certi attimi della notte, quando si giace a occhi aperti da soli, disarmati.

Il dolore delle persone che amavo assediava da anni la mia vita. La depressione del mio migliore amico. Quella della donna con cui avevo desiderato vivere. I problemi altalenanti di Danilo sembravano in realtà una commedia rispetto alla malattia di Kareen, i suoi anni dentro e fuori dalle cliniche, il pozzo oscuro che non avevo saputo riempire. Perché non ero riuscito ad amarla abbastanza? Ecco un'altra domanda interessante.

Il mondo era diventato un posto difficile dove provare a rendere felice qualcuno.

Anche se in verità qualcun altro sembrava esserci riuscito. Qualcun altro l'aveva guarita, o almeno l'aveva resa serena. Kareen stava per sposarsi. Lo avrebbe fatto di lì a pochi giorni, in Italia, lontanissima da me e dalla costa californiana.

***

A Danilo non mancavano soltanto gli alcolici. Gli mancava la rete. Sulla collina non prendevano i cellulari, tanto meno il modem del suo computer portatile.

Era smanioso. Non poteva resistere senza controllare se qualcuno si fosse iscritto alla sua fan page, quanti nuovi spettatori avessero visto gli spezzoni di suoi numeri comici su Youtube, quanti risultati producesse il suo nome su Google e confrontare il numero con quello di ogni altro stand-up comedian italiano conosciuto. Twittare qualche battuta prima che tutti si dimenticassero di lui. A casa era questa la routine giornaliera.

Non gli suggerii di provare dalla biblioteca, sapevo che la lentezza del collegamento l'avrebbe innervosito di più. Senza contare il fondato sospetto che, alla fine, una parte significativa della sua sessione sarebbe stata dedicata a Youporn.

Era inoltre in pena per l'assenza di allenamento. Pochi giorni senza palestra e si sentiva sformato: "Le mie maniglie dell'amore...".

A me sembrava sempre uguale. Palestra o non palestra, era sempre stato un poco pesante sui fianchi. D'altro canto faceva il comico, nessuno gli chiedeva di essere un fusto. Aveva i miei stessi anni, trentatré... Il tipo di età ambigua in cui si può sembrare tanto perfettamente giovani quanto in fase di conclamata mezza età.

Di altezza era un paio di centimetri meno di me. Capelli castani, quasi biondicci, non più folti.

Il sorriso era la cosa che ancora piaceva alle ragazze, di un bianco naturale che lui sapeva come rivelare, quando saliva su un palco, facendolo brillare sotto le luci di scena. Era un sorriso sapiente e insieme schivo. Due piccole rughe ai lati della bocca gli davano un'aria amara e fin troppo consapevole mentre se ne stava lì, snocciolando una battuta, aspettando la risata del pubblico.

Gli occhi erano di un verde acquoso, indeciso, capace di assumere il tono di un fiume splendente oppure, più spesso, il colore di una piscina sporca, solitaria, nella quale avresti voluto tuffarti solo per rompere, con il tuo tuffo, la disarmante solitudine in cui versava.

Al monastero, per consolarsi dalle insoddisfazioni della cucina vegetariana, iniziò a stordirsi di zuccheri.

Diventò dipendente dalla bottiglia di sciroppo d'acero che c'era nel refettorio. Iniziò a usarla di continuo, con zelo da tossicomane, per guarnire ogni piatto e bevanda – sciroppo d'acero per zuccherare il tè. Sciroppo d'acero sulle frittelle di tofu. Sciroppo d'acero sul riso servito a pranzo e persino, beh, sull'insalata servita a cena.

Un mattino a colazione vedemmo Brother Lucius, il monaco dallo sguardo assassino, dirigersi verso il buffet. Sembrò cercare qualcosa, afferrò la bottiglia dello sciroppo d'acero e la trovò vuota.

Solo allora ricordai che il temibile Lucius amava lo sciroppo d'acero. Lo avevo visto servirsene varie volte.

Stringendo la bottiglia vuota, il monaco scrutò la sala. I suoi occhi non ebbero difficoltà a individuarci: proprio in quel momento, Danilo stava addentando una frittella grondante sciroppo.

Da allora, ogni volta che incrociava lo sguardo di Brother Lucius, Danilo avvertiva un brivido. Si agitava come sotto la mira di un cecchino. "Hai visto come mi guarda il monaco con la pancia? Non avrei dovuto seccare la sua bottiglia di sciroppo d'acero."

"Non preoccuparti." Tacevo sul fatto che il monaco intimoriva anche me. "Rudi dice che è un tipo simpatico, persino spiritoso."

"Ma se non ride mai."

"Ah sì?" fingevo di stupirmi.

"L'ho visto che stava sul tetto del suo bungalow."

"L'alloggio di un monaco si chiama cella."

"Stava sopra il tetto del bungalow con un binocolo. Segue tutti i miei movimenti."

"Mi hanno detto che sta là sopra per osservare i condor sulla collina."

"I condor? Quanti condor hai visto da quando sei qui?"

"Nessuno," ammisi.

"Il monaco con la pancia sta là sopra per controllarci."

Brother Lucius restava in effetti un mistero.

In compenso, gli altri della comunità si dimostravano benevoli con Danilo. A contatto con la sua irrequietezza, la pace naturale degli eremiti sembrava diventare un'emanazione persino più intensa, più affettuosa. I loro gesti pacati, il bianco calmante delle vesti. L'atmosfera dell'eremo non si era fatta scomporre dall'arrivo del mio amico: poteva bilanciare lo stato emotivo, per quanto sghembo, di qualunque ospite. Poteva assorbire qualunque presenza.

Purtroppo, Danilo Scotti non intendeva farsi assorbire. Era arrivato con l'idea di andarsene al più presto.

Voleva proseguire per il deserto. Mi aveva mostrato varie guide e una mappa su cui aveva tracciato l'itinerario, con un pennarello blu, una linea che da Big Sur scendeva verso sud per poi inoltrarsi nell'entroterra, passando sotto la punta meridionale del Nevada, spingendosi nella landa arida fino ai dintorni di un posto di nome Elfrida, Arizona. "E tu verrai con me."

***

Stavamo camminando su uno dei sentieri di terra battuta intorno al monastero, una sera all'imbrunire. L'odore dei fiori di sambuco aleggiava nell'aria e i mimulus sul bordo del sentiero se ne stavano socchiusi, timidi o forse annoiati.

"Ti sei già divertito troppo a fare l'eremita," disse Danilo. "Tempo di muoversi, *puttanella.* Tempo di partire."

Sussultai. Odiavo quando mi chiamava in quella maniera. Aveva iniziato a farlo ai tempi dei miei eccessi sentimentali.

"Per venire dove?" replicai, studiando l'oceano che scintillava sotto di noi nell'ultima luce.

La brezza da occidente scuoteva i lembi dei nostri vestiti. "E poi," continuai, "non capisco di cosa vorresti andare in cerca. Sciamani, guaritori. Dove hai sentito parlare di questa roba?"

"Uno sciamano," confermò lui. "Ti sembra tanto strano? Più strano di stare rintanato per mesi in questo posto?"

"Qui è un monastero. È diverso."

"Ah ah." La sua voce era così sarcastica da diventare rauca. "È una cosa più rispettabile, vuoi dire. Una cosa più seria. Mio caro, come sei diventato conservatore."

"Non sono per nulla diventato..."

"Anche andare nel deserto è una cosa seria," incalzò. "In tante culture tradizionali, quando qualcuno è in crisi va nel deserto."

Sopra di noi dominava un blu elettrico e striato. Un paio di aerei lasciavano lunghi graffi, brillanti, biancastri, sulla guancia del cielo, mentre già comparivano le prime costellazioni.

Danilo si bloccò in mezzo al sentiero, mi osservò socchiudendo gli occhi: "Pare che questo sia uno sciamano famoso in mezzo mondo," riprese. "Sapessi i commenti misteriosi, quasi cifrati che i viaggiatori si scambiano su di lui nei forum in rete. Devi venire con me, sai che non sono bravo a viaggiare da solo. Da solo non ci arriverei. Mi arenerei al primo intoppo."

A un tratto, mi accorsi che la brezza aveva un aroma nuovo. Più umido. "Stai dimenticando una cosa," sospirai. "Girare per gli Stati Uniti sudoccidentali sarebbe una spesa. Io non ho un soldo. Mi è rimasta appena una riserva per le emergenze."

"Questa *è* un'emergenza."

"E a quanto posso immaginare, nemmeno tu hai più un soldo."

"Questa," ripeté, "è un'emergenza. Il tuo migliore amico ha bisogno di guarire."

"Danilo. I disturbi depressivi si curano da un terapeuta, non da uno sciamano."

"Ehi, stare qui ti ha reso un genio. Da un terapeuta, chi lo avrebbe detto?" Estrasse dalla tasca una boccetta di farmaci e la agitò come fosse un sonaglio. "Hai idea di quante volte ci sono andato da un terapeuta? Di quanti ne ho visti nella mia vita, terapeuti, analisti, psichiatri? Tutto per sentirmi suggerire che non importa come ce l'ho tra le gambe. L'importante è non avercelo piccolo in testa. Ah ah, devo stimarmi, devo amarmi, devo accettarmi!"

Aprì la boccetta, lasciò una pausa drammatica e sparse il contenuto sui cespugli. "Ecco, così stasera vengono i caprioli e si sballano un poco."

Non mi stava impressionando. "E tu hai idea," domandai, "di quante volte ho visto questa scena? Tu che butti via la paroxetina?"

"Eh?" fece lui già pentito. Osservò con evidente sentimento di amore-odio le pillole sui cespugli, tra i fiori di mimulus e i ciuffi d'erba.

Sapevo che più tardi, nel corso della notte, sarebbe tornato a raccoglierle.

"Questa roba interferisce con la capacità di provare orgasmi," disse quasi a giustificare il proprio sfogo.

"Lo so. Me lo hai raccontato un paio di dozzine di volte."

"Ma che ne sai tu di questi problemi," si rianimò. "Ah ah, puttanella."

In un certo senso, non era un appellativo del tutto immotivato – doveva essere per questo che mi infastidiva. Ignorai la provocazione e guardai il mio amico.

La brezza gli scuoteva i capelli. Luce mutevole negli occhi che la sera rendeva scuri, adesso, come fondi di bottiglia. Le rughe ai lati della bocca erano più accentuate del solito, gli davano un'espressione disperata e impertinente.

Dopo tanti anni, l'impulso che più spesso sentivo davanti a Danilo era quello di prenderlo a pugni. Oppure di abbracciarlo. Molte volte, i due impulsi erano in contemporanea.

"Senti," riprese tornando a socchiudere gli occhi. "Non chiedermi cosa andremo a fare nel deserto. Non so cos'hai tu da perdere, io non ho più nulla, la mia vita è già un deserto: ovunque mi giro, paesaggio piatto. Non ci sono strade, non ci sono direzioni. È tutto arido e non so dove andare..." Sollevò una mano e descrisse un gesto informe nell'aria. "Qualunque cosa sia questa rogna che ho addosso da sempre, devo guarire. Devo guarire e tornare da mia moglie. Farmi ridare il mio lavoro. Riconquistare il mio pubblico, riprendere la mia carriera, la mia vita."

"Dunque è questo che speri," sospirai di nuovo. "Ritrovare la vecchia vita."

"C'è qualcos'altro in cui sperare?"

"Eri depresso anche prima. Quando avevi le serate al locale, quando avevi Cinzia."

"Questa volta sarà diverso. Questa volta sarò un altro uomo. Più motivato, più presente, ci metterò un'energia migliore."

"Grazie allo sciamano."

"Perché no? Grazie allo sciamano."

La traccia di uno degli aerei si vedeva ancora, una retta argentata, quasi parallela all'oceano, che risaltava sull'orizzonte bluastro. Era tutto troppo intenso, elettrico e sospeso. La luce, il panorama, io e il mio amico, due uomini senza moglie, dolorosamente liberi nell'estate californiana. La complicatezza dei nostri ricordi.

"E tu cosa vuoi fare?" aggiunse Danilo. "Aspettare il giorno in cui Kareen si sposa, e poi? Aspettare che ti passino i sensi di colpa per quello che le hai fatto? Stare qui all'infinito, a farti squadrare da quello spasso di monaco con la pancia? Mio caro, cosa speri veramente di fare?"

***

Era una domenica. Quel giorno la nebbia mattutina non si dileguò con l'alzarsi della luce e il cielo rimase di un bianco incerto.

Assistetti alla cerimonia domenicale dei monaci – i salmi cantati, il silenzio rarefatto mentre il priore imboccava, uno a uno, i suoi compagni con il pane sacro.

Guardai senza muovermi, in disparte, distratto dai miei pensieri che si avvolgevano uno nell'altro. Danilo lo ritrovai poco più tardi dalle parti del refettorio, impegnato a raccontare a un gruppo di ospiti, peraltro deliziati, una barzelletta sporca su Monica Lewinsky.

Il pomeriggio aiutai Father Raimundo a sistemare le rose nel giardinetto della sua cella, devastate dall'ennesima incursione dei caprioli. Bisognava potare i rami rovinati e rimettere in piedi i boccioli sopravvissuti. "Povere creature," sospirava il priore grattandosi la barba candida. "Povere creature", senza lasciar intendere se parlasse delle rose o dei caprioli affamati.

Lassù, il bianco stava diventando più denso, incombente, un cielo di zucchero filato che pareva sul punto di calare sulle nostre teste. Folate di vento umido agitavano le foglie dei cespugli.

Dopo che il priore si fu ritirato a meditare, lavorai alla staccionata del giardino, rimettendo alcune assi mancanti, nella speranza di scoraggiare le prossime incursioni dei quadrupedi. Stavo piantando un'asse quando la prima goccia mi colpì sulla nuca. Alzai la testa. La seconda mi colpì sulla fronte, tiepida, corposa, provocandomi un fremito. Il cielo si era fatto elettrico e grigio, in pochi attimi fu un diluvio.

Corsi in direzione della mia roulotte attraverso il sentiero, nell'aria i profumi sollevati dalla pioggia – terra bagnata, fiori, erba, oltre all'aroma d'incenso che impregnava i muri delle celle dei monaci e adesso si risvegliava, come un vecchio incantesimo.

Fu allora che mi bloccai. Laggiù, lungo il crinale della collina, due piccoli aerei scuri sorvolavano la costa.

Strizzai gli occhi. Da quella distanza non riuscivo a rendermi conto delle loro vere dimensioni.

Nella pioggia fitta, vidi le due sagome impennarsi e sbattere le ali. Finalmente capii. I grandi condor salirono di quota, neri, maestosi, incuranti della pioggia, due creature alate che si innalzavano, quasi decise a oltrepassare il cielo. Restarono in bilico alcuni istanti. Si lasciarono cadere, planando, quasi danzando, scendendo in ampi movimenti circolari.

"Sono bellissimi, non trovi?"

La domanda mi fece trasalire. Una fitta di imbarazzo mi mozzò il fiato quando mi accorsi di dov'ero. Mi trovavo accanto alla cella di Brother Lucius e il monaco dallo sguardo assassino era là sopra sul tetto della casupola, su una seggiola di plastica, un binocolo in mano e i vestiti inzuppati d'acqua.

"Beh... Sì. Bellissimi." La pioggia mi martellava la testa e le spalle. L'imbarazzo aumentò quando realizzai che il monaco si era alzato. Non potevo crederci. Stava per raggiungermi. Nonostante il corpo pesante scese con agilità la scaletta di legno appoggiata al tetto della cella, mentre io tenevo lo sguardo sulle evoluzioni dei condor e frenavo, a stento, l'impulso di fuggire.

***

32

Si posizionò accanto e me e restammo entrambi a fissare in direzione dei condor.

"Sai," disse Brother Lucius. "Secondo alcune tribù indiane, i condor erano i grandi creatori. Sarebbero stati loro a ricreare la specie umana dopo il diluvio universale. Secondo altre tribù i condor erano invece i grandi distruttori." Mi passò il suo binocolo. "Non è sempre facile avvistarli. Non succede a tutti di riuscire a vederli."

Erano certo spettacolari. Le grandi ali tese, il collare di piume da cui spuntava la testa violacea, il becco ricurvo che tagliava l'aria. La pioggia e gli obiettivi del binocolo facevano apparire gli animali un poco sfocati, creature di un sogno tempestoso e sfuggente.

Cercai di seguire la traiettoria del loro volo. Ma la vicinanza del monaco mi disturbava. Non riuscivo a interpretare: era l'inizio di una conversazione, questo? Io e l'uomo più torvo del monastero, sotto gli scrosci di un temporale?

Quando gli restituii il binocolo, sembrò carezzarmi con il suo sguardo enigmatico. "Il tuo amico. Quello che porta spiritose magliette..."

Ero sicuro stesse per lamentarsi della faccenda dello sciroppo d'acero. O di qualche altra stupidaggine commessa da Danilo oppure, già che c'era, della mia permanenza troppo lunga. "Mi spiace..." iniziai.

"Ho sentito che vuole intraprendere un viaggio," disse lui in apparenza senza avermi sentito. "E che ti ha chiesto di andare con lui." Nell'aria scura del temporale, gli occhi chiari che per settimane mi avevano inquietato sembravano brillare. "Ragazzo, non fare quella faccia. Non ti voglio mandare via."

Sì, dovevo avere una faccia stranita. Lo stupore mi dava quasi le vertigini.

"Vedi," riprese. La pioggia gli lavava il viso e gli scorreva sul petto. "Capisco che hai paura."

Abbassai lo sguardo. "In effetti, quando l'ho vista là sopra col suo binocolo..."

"Non paura di me," fece. Il suo petto iniziò a scuotersi, lievemente, in un modo che subito non compresi. "Intendo paura di partire con il tuo amico. È normale averne. Là fuori nel deserto, chissà cosa troverai."

La pioggia non smetteva di lavare Big Sur e i rilievi delle Santa Lucia Mountains.

Là in fondo i condor proseguivano le loro evoluzioni e l'oceano aveva la stessa sfumatura del cielo, un grigio che ricordava una distesa di cenere.

Poteva darsi che avesse ragione, che la mia fosse anzitutto paura di partire. E poteva darsi, iniziai a chiedermi, che il tono di Brother Lucius fosse amichevole, che lui in effetti non fosse ostile né lo fosse mai stato, fosse soltanto incuriosito? "Eppure," dissi. "Il punto non cambia. Non ho intenzione di partire, non vedo perché dovrei farlo."

Si passò le mani sulla camicia, sopra il grosso ventre, come se potesse servire ad asciugarle. Più in basso, i piedi nudi nei sandali sguazzavano nel rivolo d'acqua che si era formato sul sentiero. "Sai, ti ho osservato in questo periodo."

"Ah sì?" riuscii a scherzare.

Di nuovo il suo petto ebbe una piccola scossa. "E mi domandavo, qual è il vero problema di quest'uomo? Qual è il suo vero cruccio? Prova a dirmelo in una frase. Prova a riassumermi il problema della tua vita."

"Accidenti," dissi.

"Provaci."

Pensai a Danilo, le sue rughe di desolazione ai lati della bocca. Solo, depresso, sotto psicofarmaci, disoccupato e sull'orlo dell'indigenza, disposto a spendere gli ultimi risparmi per avventurarsi in cerca di un guaritore, sperando che servisse ad avere indietro la sua vita. La stessa che lo aveva fatto ammalare. Pensai a questo, a quanto poco mi sentivo in grado di aiutarlo. Pensai a Kareen, alle notti in cui mordeva il cuscino per nascondere l'ennesima crisi di pianto, senza sapere che ero sveglio e la sentivo. Pensai a quello che le avevo fatto. "Non sono riuscito ad amare abbastanza una donna."

"Si tratta di questo?"

"Non mi sento in grado di aiutare nessuno."

"Spiegati meglio."

"Vedo il dolore degli altri e non so cosa fare. Forse neppure me ne importa."

"Meglio," insistette.

"Vivo in un mondo in cui nessuno riesce più ad amare nessuno... Nessuno può comprendere nessuno, nessuno può credere in nessuno. Un mondo senza possibile amore," gemetti mentre l'acqua ci scendeva addosso, tiepida e ritmata. Il cuore mi pulsava penosamente in gola.

"Non lo pensi davvero. Ami tuo fratello, ami il tuo amico. Amavi quella donna."

"Non basta."

"Cosa sarà successo di così tremendo, mi chiedo." Brother Lucius prese un respiro. Nell'aria c'erano sempre gli odori di incenso, di terra umida, ai quali si era aggiunto un aroma di resina, proveniente da qualche albero, così intenso da farmi bruciare gli occhi. "E siccome là fuori il mondo ti sembra troppo arido, pressoché finito," riprese con voce gentile, "hai deciso di stare rifugiato quaggiù."

"Non so dove altro andare," confessai. Ero sconvolto dal mio stesso flusso di sincerità.

"Se sul serio non hai più nulla da perdere, perché non metterti in gioco, mi chiedo. Perché non accettare di partire."

A mia volta presi un respiro. Ammisi: "È quello che dice Danilo".

"Allora vedi," disse Brother Lucius. "Sembra che il viaggio in fondo non sia tanto diverso, il tuo e quello del tuo amico. Potrebbe essere lo stesso viaggio."

La gola continuava a pulsarmi come quando mi svegliavo da uno dei miei sogni.

Parlammo a lungo, sotto quel temporale, fino a quando ci fu una pausa e apparve chiaro che era tempo di andare in cerca di un asciugamano, di vestiti asciutti.

Ma prima ci abbracciammo, Brother Lucius e io. Successe quasi d'istinto. Chi lo avrebbe mai detto. Il suo petto riprese a scuotersi: compresi che era una risata, quella. Una risata benevola, quasi impercettibile, un suono come di minuscola cascata che si perdeva in quello della pioggia, nel brusio dell'oceano. "E poi," sussurrò, "il deserto è un luogo interessante. C'è tanto spazio. Ti si amplia la vista. Nel deserto," sembrò una promessa, "si vedono più cose."

II.

On the road

Un paio di giorni dopo, con la macchina del monastero Rudi ci accompagnò a San Luis Obispo, un'ora e mezzo di strada più a sud, dove costeggiammo un piccolo lago e ci aggirammo per i sobborghi della cittadina fino a trovare quel che cercavamo. Un noleggio auto.

"Quella," disse Danilo indicando una monovolume color sabbia. "La tinta si adatterà al paesaggio del deserto," dichiarò soddisfatto.

Era un mattino caldo e sebbene il parcheggio non fosse trafficato, mi guardavo intorno stordito.

Già mi mancavano la pace e la sicurezza del monastero. Pensavo alle staccionate che non avevo avuto il tempo di riparare e al bagno a Monterey che io e Rudi non avevamo più fatto. Adesso la direzione era verso sud. Ci saremmo fermati a Santa Monica da certi vecchi amici del monastero, ai quali Father Raimundo ci aveva chiesto di lasciare un pacchetto, e quindi via verso l'entroterra.

Andai nell'ufficio della compagnia a sbrigare i documenti e a tentare di ottenere uno sconto.

Ero in pena per il nostro budget. Il massimo che ottenni fu l'omaggio di un pupazzetto della mascotte della compagnia, una scimmia con una maglietta bianca che recava scritto: DRIVE ME SAFELY TO THE BANANA SHOP.

37

Quando tornai con la scimmia tra le mani, trovai Danilo e mio fratello alle prese con la radio della macchina.

La stavano provando, dissero ridendo. Gli sportelli anteriori erano spalancati, le casse sparavano un vecchio brano a tutto volume e loro due ballavano sotto il sole, seguendo estatici il ritmo della canzone. "Attento. Il tuo Dio ti vede," lo provocò Danilo.

"Che problema c'è? A lui piace vederci ballare," rispose mio fratello.

Nella luce del mattino, la carrozzeria della macchina brillava come una conchiglia dischiusa.

Rudi ballava per il suo Dio. Danilo ballava per il deserto che voleva raggiungere e verso il quale mi stava trascinando. Le casse sulle portiere vibravano a causa del troppo volume e i New Order ripetevano l'ipnotico ritornello: *Tell me how do I feel. Tell me now how do I feel.*

I loro movimenti. Il sole tra i loro capelli. Ancora non sapevo quante volte, in seguito, avrei chiuso gli occhi e rivisto quella scena, sempre uguale, così ridicola e bellissima.

Un dipendente della compagnia uscì a protestare. "Lasciaci celebrare amico, stiamo partendo per una grande avventura," gli urlò Danilo, ma Rudi ebbe il buon senso di abbassare il volume.

Era tempo di salutarci. Trasferimmo i bagagli sulla macchina appena affittata assieme alla tenda canadese che Rudi si era offerto di prestarci. Poteva essere utile, non si poteva sapere laggiù nel deserto. Mio fratello mi aiutò a sistemare tutto nel bagagliaio. "Mi mancherai," disse con il consueto sorriso, senza apparire in realtà troppo dispiaciuto per la nostra partenza.

"Forse era ora che mi togliessi di torno," riconobbi.

"Non è questo," continuò a sorridere. "Penso che potrà essere una buona avventura anche per te."

"Chissà," risposi dubbioso. Ci abbracciammo. Attraverso la maglietta sentii il suo torso asciutto, quasi da adolescente, e pensai con un misto di orgoglio e smarrimento che quello era mio fratello, davvero mio fratello, ed era innamorato di Dio ed era più giovane di me ed era riuscito a trovare il suo posto nel mondo.

Rudi abbracciò anche Danilo. "A presto."

"Non era male la tua sangria," gli rispose Danilo, prima di sedere al volante e mettere in moto.

***

Viaggiavamo da poco più di un'ora quando lui propose una sosta.

Tamburellai sul cruscotto, ancora incapace di rilassarmi, respirando l'odore tipico da macchina a noleggio. Abbassai di un centimetro il finestrino e domandai: "Non avevi fretta di allontanarti da Big Sur?".

"Puoi scommetterci." Seguì con il volante una curva della State Route 1, l'oceano che spumeggiava sotto di noi. Sull'altro lato le colline coperte di sequoie e querce erano curve verticali, di un verde arcano, misteriose e sensuali come una serie di Sfingi, il profilo che sfumava nell'abbaglio del sole. Era l'estrema linea della West Coast, l'Occidente intero alle sue spalle, la distesa del Pacifico davanti. E noi a viaggiare lungo quel confine, su una monovolume color sabbia. "Non vedevo l'ora di portarti via da là, eccome se puoi scommetterci. Un altro poco e mi avresti annunciato di volerti fare frate."

"Stai delirando. Non sono neppure credente," protestai.

"Dimmi se non ti sei mai trastullato con l'idea di chiuderti per sempre in quel posto, come tuo fratello. E di abbandonare nella merda il resto del mondo, compreso il tuo amico Danilo."

A un tratto mi venne da sorridere. "Pensa," dissi. "Pensa a mio padre, se davvero un giorno si ritrovasse con due figli monaci."

Danilo scoppiò a ridere. "Preferirebbe mille volte due figli finocchi."

"Tutto fuorché due figli monaci."

"Ah ah," continuò lui. L'aria dal finestrino era frizzante e aveva la pulizia di un cristallo.

"Comunque non corre di questi rischi," ribadii.

Finito di ridere, Danilo spiegò i motivi per cui voleva una sosta. "Devo fare un goccio d'acqua e ho fame. Senza contare una certa *sete*..." Strinse il volante, mi lanciò un'occhiata e, quasi rendendosi conto solo ora che eravamo in viaggio, decisamente in viaggio, lanciò un grido di entusiasmo.

Il locale dove ci fermammo era una costruzione a due piani con i muri turchesi, incastonata in un'area di sosta panoramica.

Dentro, Danilo andò al bagno e poi mi raggiunse a un tavolo di legno ruvido. "Che si mangia di buono?" domandò fregandosi le mani.

"Non lo so. Ma pare un posto decente." In fondo alla sala, una scritta a gesso su una lavagna annunciava la lista dei frullati della casa.

"E sarà sempre meglio del ramadan dai tuoi amici monaci," disse, alzando un braccio per chiamare la cameriera. Appena questa si avvicinò: "Io e il mio amico prendiamo due grossi hamburger con formaggio. Abbondanti patatine".

"Non sono sicuro di volere un hamburger," osservai.

"Certo che lo vuoi. Ne hai bisogno dopo mesi passati a ingoiare bocconcini di tofu." Si rivolse alla cameriera: "L'ho aiutato a scappare da una colonia di invasati vegetariani".

"Capisco," fece la ragazza non troppo impressionata. Aveva capelli tinti di turchese, intonati ai muri del luogo. "Da bere cosa prendete?"

"Gin tonic," chiese Danilo.

"Non serviamo superalcolici."

"Uh?" Fece una risatina incredula. "Allora una vodka lemon."

"Signore, non serviamo superalcolici."

Danilo sbirciò il paio di altri tavoli occupati nel locale, forse sperando di intravedere dei bicchieri da cocktail. Si prese la testa tra le mani. "Non è possibile. Cos'è, un film di fantascienza?"

"Posso portarle una birra," fece lei con tono più comprensivo.

"Certo. Va bene una birra," disse con voce di oltretomba. "La California è un incubo salutista," si lamentò quando fummo soli.

"Bene," dissi. "Non è il tuo viaggio di guarigione, questo?"

"Guarigione. Non per forza disintossicazione," fu la risposta. "Il deserto sarà diverso. Posto vero, il deserto, senza fronzoli da hippy salutisti e senza fate turchine che servono ai tavoli."

Dieci minuti più tardi, mentre Danilo era impegnato a twittare dallo schermo del telefono e a controllare con frenesia il numero di *like* e di commenti sulle sue pagine, a verificare su quali blog si parlasse di lui e dei suoi spettacoli... La fata turchina portò i nostri piatti. Li depose sul tavolo e ci augurò buon appetito.

"Guarda qua," disse lui abbassandosi verso il piatto. Aspirò il profumo emanato dall'hamburger. "Guarda il miracolo di questa carne grigliata, compatta, vestita di formaggio e di ketchup, di questa fetta di cipolla con le sue decine di cerchi concentrici, uno dentro l'altro come le orbite di un favoloso bersaglio." Aspirò un'ultima volta, chiuse il panino e lo addentò. "Un miracolo. Un miracolo americano."

Non era male, innegabile. Mentre masticavo, incrociai da

lontano lo sguardo della cameriera e mi chiesi cosa vedevano i suoi occhi. Due turisti affamati, due stranieri senza donne in viaggio per chissà dove.

"Senti," fece Danilo a bocca piena. "Stasera, la nostra tappa a Santa Monica... Siamo sicuri che ci tocca fermarci?"

Lo fissai: la bocca unta, gli occhi spiritati, le due rughe precoci ai lati della bocca, a forma di virgole. Il telefono ancora stretto nell'altra mano, indispensabile amuleto. "Rilassati," mi disse sempre a bocca piena.

Non sapevo con esattezza di cos'ero preoccupato. Forse mi chiedevo quando Danilo avrebbe avuto uno dei suoi ciclici crolli dell'umore. O iniziavo a chiedermi in cosa sarebbe consistita la cura del famoso sciamano, una volta che lo avessimo trovato. Se lo avessimo trovato.

"Santa Monica, ci tocca," confermai. "Non potevo rifiutare questo favore a Father Raimundo."

***

Scendemmo lungo la costa fino all'altezza di Ventura, dove virammo verso l'interno, passando per la San Fernando Valley e di nuovo a sud verso la costa, per raggiungere la nostra tappa.

Danilo aveva innaffiato il suo hamburger con un paio di birre. Sul sedile del passeggero, consultava ora un navigatore sul telefono e mi indicava la strada. "Come fanno due ex monaci a permettersi di vivere in questo posto?" chiese quando ci inoltrammo tra le vie di Santa Monica, sbirciando le villette lungo la strada, ombreggiate da file di palme e circondate da prati diligentemente irrigati.

"A quanto so insegnano al college," risposi.

Macchine con tavole da surf sul tettuccio tornavano dalla spiaggia, incedendo nel sole del tardo pomeriggio.

Poco più avanti, intravedemmo la sagoma squadrata del Santa Monica College. Oltre si estendeva l'immensità complicata di Los Angeles, quella che di lì a poco, nel giro grossomodo di una mezz'ora, supponevo, avremmo tagliato in direzione del deserto.

Ma per il momento ecco l'indirizzo. Fermammo davanti a una casa bassa dipinta di color crema.

Un cane seduto sulla soglia scattò sull'attenti, appena ci vide, e abbaiò scodinzolando.

Era un labrador dal pelo di un marrone chiaro e luminoso: ci scortò cordialmente fino al giardino sul retro, dove trovammo i padroni di casa alle prese con un barbecue fumante. "Benvenuti," sorrise uno dei due venendoci incontro. "Io sono Martin."

Era sulla cinquantina, abbronzato, vestito con una camicia a mezze maniche sopra un paio di pantaloncini da bagno. I capelli corti e la barba dovevano essere un ricordo della vita al monastero. Non era molto alto ma aveva un'aria sportiva – appoggiata ad asciugare contro il muro della casa c'era una tavola da surf.

L'altro uomo si chiamava Paul, era all'incirca della stessa età, aveva lineamenti orientali. Indossava un grembiule da cuoco. "Sto facendo formaggio e verdure alla griglia," disse con voce profonda, quasi da cantante.

"Ovviamente siete nostri ospiti a cena. E anche per la notte," aggiunse Martin.

"Beh..." dissi, cogliendo l'occhiata non proprio entusiasta di Danilo. "Avevamo in mente di attraversare la città questa sera, fermarci a dormire in un motel all'inizio del deserto."

"Abbiamo un sacco di posto," rispose Martin accennando alla casa. "La nostra stanza è al piano di sopra, voi avrete tutto il soggiorno per voi. Due comodi divani-letto. Non c'è bisogno di spendere soldi in un motel." Accennò al pacchetto che reggevo: "E quello è per noi?".

"Oh, certo. Da parte di Father Raimundo." Glielo allungai.

"Adoro questa roba," ridacchiò Martin scartando il pacchetto.

Erano dei barattoli di pesche sotto spirito, preparate dal vecchio priore stesso. Da dietro il vetro dei contenitori, sembravano piccole guance paffute. "Me le manda ogni volta che ha occasione. Mi trattava come un figlio quell'uomo," disse Martin, e una piccola smorfia di nostalgia sembrò turbare, per un attimo, la sua espressione solare.

"Ehi. Dunque c'era dell'altro alcol in quel monastero," commentò Danilo.

"Prendete un barattolo. Le mangerete nel deserto," disse Martin.

"Non possiamo accettare, sono un regalo per voi," dissi io.

"Questo lo prendiamo," tagliò corto Danilo. Afferrò il barattolo che Martin stava allungando. Lo strinse tra le mani e continuò a guardarsi intorno con sospetto.

Poco dopo, mentre Martin raggiungeva Paul presso il barbecue per controllare la cottura della cena, il mio amico ringhiò sottovoce: "Non mi avevi detto che questi due sono una coppia".

"E cosa ti aspettavi? Sono due uomini che vivono insieme."

"Non mi piace."

"Che problema hai?"

"Monaci che si mettono insieme tra loro, andiamo. Che razza di cosa morbosa. Non mi piace. Non mi va di restare qui."

"Sono *ex* monaci. Risparmieremo i soldi del motel."

"Voglio andarmene."

"Le pesche sotto spirito non ti sono sembrate morbose. E scommetto neppure la cena ti sembrerà morbosa."

"Ti ho detto che voglio..." Fu interrotto da Otto, il cane,

che si era avvicinato e aveva preso a mugolare amichevolmente. "Oh, non fare così," disse Danilo carezzandolo sulla testa. Aveva sempre avuto un debole per i cani. "Lo sai, giusto, che sei tu il più normale in questa casa? Con un padrone monaco surfista e l'altro padrone che somiglia a Yoko Ono."

"Danilo..." lo rimproverai. Ma l'affettuosità di Otto sembrava averlo conquistato e due minuti più tardi eravamo seduti attorno a una tavola circolare, in un angolo del giardino. Il tramonto era sceso, delle candele alla citronella spargevano una luce gialla e gli irrigatori dei prati vicini si avviavano, a turno, con il loro ritmico suono.

***

Nel corso della cena fu Martin il più loquace. Visto che arrivavamo da Big Sur, ci chiese notizie dei suoi ex confratelli.

E poi ci raccontò degli aneddoti. Quella volta che un ospite hippy aveva provocato un inizio di incendio con un mozzicone di spinello. Quella volta che Father Raimundo aveva messo uno spaventapasseri in giardino pensando avrebbe tenuto lontani i caprioli. E quella volta che lui, Martin, aveva annunciato di voler andare a vivere con un monaco buddista incontrato a una conferenza. Era stato quattro anni prima. I confratelli, disorientati, subito non avevano compreso: pensavano intendesse fondare una nuova comunità interreligiosa. Martin sorrise ai suoi ricordi mentre Paul passava i piatti di portata.

Danilo si servì con disinvoltura, riempiendo il piatto a livelli acrobatici. Nel frattempo reagiva con smorfie annoiate, neppure tanto dissimulate, ai racconti di Martin.

Alla fine, proseguì quest'ultimo, quasi nessuno dei confratelli si era scandalizzato della sua scelta. La maggior parte lo aveva anzi benedetto.

"Torni mai a trovare gli ex confratelli?" gli domandai, ma a quel punto ci fu una pausa di imbarazzo. Ebbi l'impressione di aver fatto la domanda sbagliata.

I padroni di casa si scambiarono un'occhiata, il tipo di sguardo di quando tra due persone rimbalza un argomento spinoso, già discusso troppe volte. Martin non perse comunque il buonumore. Si allungò sulla sedia e riprese il racconto. "Ricordo il giorno prima di partire, uno dei confratelli mi tira in un angolo e mi dice, ridendo alla sua maniera: non credere che amare una persona in carne e ossa sia più facile di amare lo Spirito. Brother Lucius, vecchia volpe. Lo avete conosciuto?"

"Come no," sbottò Danilo, infilando in bocca una forchettata.

"Gran personaggio," ridacchiò Martin. "Capisco che a prima vista possa sembrare un tipo strano."

"Come no," ripeté il mio amico. Fece l'occhiolino a Otto, che lo osservava seduto a un passo di distanza, e gli tirò al volo un boccone. "Potrei scrivere un monologo, sui tipi strani che sto incontrando da queste parti."

Ci fu un'altra pausa. Nell'aria, l'odore del cibo grigliato si mischiava a quello dei carboni del barbecue e a quello dei prati umidi.

Sebbene la cena fosse deliziosa, non mi ero servito con la stessa abbondanza di Danilo. Avevo il sospetto di non aver ben digerito l'hamburger del pranzo.

Nella mia bocca, il sapore del cibo si mescolava a quello della vaga continua tensione per le uscite del mio amico. "Dovresti essere grato a Brother Lucius," gli ricordai. "È stato lui a convincermi a seguirti in questo viaggio."

"Appunto," rispose lui. "Mi pare di capire che gli piace mandare via la gente dal suo monastero."

"Beh," dissi a denti stretti. "Potrebbe anche vedermi tornare prima del previsto."

"Mio caro, non riesco a immaginarti a tornare subito a Big Sur, dopo che hai salutato tutti come se stessi partendo per una missione su Marte. Non è nel tuo stile." Infilò in bocca un'altra forchettata. "Senza contare che in verità non vedi l'ora di venire nel deserto con me."

"Questa è una tua fantasia."

Gli irrigatori continuavano a lavorare, invisibili, il loro sibilo mescolato all'onda sonora di qualche macchina di passaggio sulla strada.

Quattro uomini e un cane, in un giardino, nella luce delle candele. Non sarebbe stato male, se la conversazione non si stesse rivelando un poco impervia. Fu di nuovo Martin a rilanciare. "Ditemi del vostro itinerario," propose.

Aveva fatto più di un viaggio nel deserto, ci raccontò. Il mattino dopo, prima della nostra partenza, avrebbe cercato per noi certe cartine che aveva, mappe dettagliate delle contee dell'Arizona meridionale. Potevano essere utili. Non sapeva nulla del nostro sciamano ma era sicuro, nessun dubbio su questo, che sarebbe stata un'esperienza straordinaria.

***

"Con chi è arrabbiato?" mi domandò Martin. Eravamo tornati presso il treppiede del barbecue, io e lui, ad arrostire dei marshmallow infilzati da lunghi stecchini.

L'aroma dello zucchero sciolto si spargeva intorno. Poco lontano, Paul si stava occupando di sgomberare il tavolo dai resti della cena, e Danilo giocava con Otto.

Fissai il mio amico dall'altra parte del giardino. Dopo un paio di corsette per farsi inseguire dal cane, sulla schiena tra le scapole gli era apparsa una macchia sudata, mi pareva, dalla forma approssimativa di un cuore.

L'ennesima bella domanda, con chi fosse arrabbiato Danilo.

Con la banalità del dolore umano, potevo supporre. Con il mondo per l'assurdo buco nero che era diventato, con l'Italia, con Milano, con tutto quel che gli era successo. Con mio fratello perché era un monaco. Con i due padroni di casa perché non erano più monaci. "Non lo sa neppure lui," risposi. "Suppongo anche con me, in qualche misura."

"C'è amicizia autentica tra voi. Non so spiegarti come, ma si vede."

"Ci conosciamo da tanti anni." Rigirai un paio di marshmallow, piccole bolle scoppiavano sulla superficie arrostita.

Cercai di spiegare: "Sua moglie lo ha mollato da poco, nonostante lui la adorasse. Beh, a modo suo almeno. E nonostante le fosse sempre stato fedele. Assolutamente fedele. Mentre io, nella relazione che avevo...". Mi schiarii la voce. "Diciamo che non sono stato un santo, sotto il profilo della fedeltà. Danilo è abbastanza caustico sui miei trascorsi sentimentali."

Martin annuì. La sua faccia scurita dal sole e dal riflesso delle onde era accesa dal calore della griglia. Alcune rughe si allargavano, dagli angoli degli occhi, simili ai bracci di stelle marine. "E la persona con cui stavi. Ti ha perdonato?"

La domanda mi spiazzò. "Non so se mi ha perdonato. Era tutto molto complesso. So che sta per sposarsi con un altro." Restai a pensarci, ma non avevo granché da aggiungere. Una brezza intermittente mi rinfrescava la fronte e infuocava i carboni nella griglia.

Là in fondo, Otto abbaiò per invitare il suo compagno di giochi a inseguirlo.

Guardammo Danilo buttarsi a terra, a corto di respiro, e rimanere a fissare il cielo.

Pensammo entrambi la stessa cosa, credo, o forse sono io a pensarlo oggi, mentre ricordo quella serata. L'uomo steso sul prato era arrabbiato anzitutto con se stesso. Era un pensiero così semplice che, a pronunciarlo, sarebbe suonato violento.

La brezza continuava a soffiare. Dentro di me qualcosa sembrò accendersi, in maniera silenziosa, proprio come i carboni della griglia.

Sospirai, era stata una giornata lunga – salutare mio fratello, il noleggio della macchina, la fata turchina e il suo hamburger indigesto, e domattina alla fine partire per il deserto verso il quale, ancora, non avevo voglia di muovermi. "Sono contento di essermi fermato qui stasera."

Martin fece un sorriso. I bracci di stella marina si accentuarono sopra gli zigomi. La barba e le sopracciglia erano di un colore indefinito tra il biondo e il grigio. "Sembri un poco stanco."

"Un poco," ammisi. "Anche se temo sarà difficile dormire, lontano dalla roulotte sulla collina."

Non serviva fossi io, a ricordare a Martin la pace incantata dell'eremo.

Tornò ad annuire. "Per rispondere alla tua domanda di prima," disse abbassando la voce, "mi piacerebbe tornare a trovare gli ex confratelli. Tante volte mi manca Big Sur. La nebbia sotto la scogliera, il coro dei grilli dalla foresta, e quella particolare qualità di silenzio. Mi manca persino l'odore di marijuana lasciato dietro i cespugli dagli ospiti hippy. Più di tutto, mi mancano le voci unite nei salmi."

Aspettai che proseguisse.

"Però se ci andassi..." Allargò le mani in un gesto di esitazione. "Insomma, mi chiedo se poi sarei capace di tornare qui a Santa Monica."

I marshmallow erano un disastro, si stavano sciogliendo e bruciacchiando. "Capisco," dissi. "Per questo Paul preferisce che tu non vada."

"Paul non ha intenzione di tenermi stretto a tutti i costi.

Sono io che devo decidere." Prese un marshmallow e ci soffiò sopra prima di addentarlo. "Sono innamorato di lui, ma
ero innamorato anche del mio monastero. Tuttora non saprei rispondere. È più facile amare un uomo oppure lo Spirito? La mia vita è in un eremo religioso oppure qui, in una
casetta tra la palme di Santa Monica? A modo mio, vedi,
neanch'io sono un campione di fedeltà."

Bisognava ammetterlo, eravamo un bel quartetto quella
sera.

Un ex monaco indeciso, un ex monaco buddista, un comico disoccupato con la maglietta impregnata di sudore,
per effetto delle dosi combinate di paroxetina e di chissà
cosa. E io, in mezzo, esausto, assonnato, ad ascoltare la voce
di Martin.

Il padrone di casa pareva sussurrare, sempre più, quasi
una ninnananna. Bizzarro, stava raccontando: da quando
aveva lasciato Big Sur, pregava più spesso.

Pregava dentro di sé quand'era in classe con i suoi studenti, guardando le loro facce giovani e intatte. Pregava, a
squarciagola, quando faceva surf, in piedi sul crinale dell'onda. A letto, con Paul. Toccava la sua pelle. Pregava. Si addor-
mentava felice e insieme così inquieto. Qui avrei voluto fer-
marlo, e non perché il suo racconto mi imbarazzasse, e non
solo perché ero assonnato. C'era qualcos'altro, forse, che mi
disturbava.

Nel chiarore di ogni alba, Martin si svegliava e si accorgeva
che era l'altro a pregare, ora, seduto in fondo al letto, a occhi
chiusi mormorando i mantra del nuovo giorno. E Martin si
riaddormentava e si sentiva, davvero, così felice. E così inquieto.

***

50

Sul divano-letto nel soggiorno di Martin e Paul, galleggiai in un sonno leggero per tre o quattro ore.

Poteva essere colpa dell'hamburger del pranzo. O forse a farmi rigirare erano i sogni confusi, il battito in gola, quella collezione di immagini e di sensazioni – la pelle chiara di Kareen. La pelle delle altre ragazze, il ricordo delle loro bocche, la materia setosa dei loro capelli che mi finiva sulle labbra, mi solleticava il viso, le mani, un piede. Soprattutto un piede.

Un pensiero mi pulsò nello stomaco. Perché, mi chiesi con una fitta di desolazione, non c'era nessuno in fondo al mio, di letto, a mormorare preghiere per il giorno, a invocare benedizioni sul nostro amore?

Non era neppure l'alba e sul divano-letto perpendicolare al mio c'era invece Danilo. Trafficava con il telefono, il viso illuminato dal bagliore del display.

Galleggiare. Sognare. Annaspare in cerca di aria, e di nuovo quel fastidio al piede.

Aprii gli occhi di colpo. C'era un'ombra sul bordo del letto: era Danilo, stava solleticando con qualcosa il mio piede che spuntava dal lenzuolo. "Che cavolo fai?" ringhiai con voce impastata di sonno.

Nel semi-buio del soggiorno, si bloccò. "Nulla."

"Stai cercando di impedirmi di dormire."

"No."

"Con cosa mi stavi facendo il solletico?"

Un attimo di silenzio. "Con alcuni peli di Otto," confessò. "Li ho trovati sul tappeto."

Gli lanciai addosso il cuscino. "Non voglio neppure sapere perché lo stavi facendo. Tornatene nel tuo letto."

"Dobbiamo andare," disse lui. "Non riesco a dormire qui."

"Neppure ci hai provato."

"Non mi sento a mio agio." Girò la testa come a guardarsi intorno. Nella luce scarsa, le sagome dei mobili affioravano come scogli da una laguna. Sul muro, copie di piscine di David Hockney erano macchie mute, e sulla sommità di una libreria la sagoma paffuta, inconfondibile, di una statuetta di Buddha.

Sulla vetrata una tenda leggera schermava a stento il riflesso lunare che aveva invaso il giardino. "Te l'ho detto," riprese Danilo. "È una situazione morbosa."

"Tu sei morboso. Torna nel tuo letto, e non lasciarmi i peli del cane."

Mi rigirai per un'altra mezz'ora, le palpebre contratte. La tavola da surf di Martin. Kareen che si rannicchiava a riccio e si girava verso il muro.

L'eyeliner nero di una ragazza nella toilette di un bar sui Navigli, la faccia di una donna conosciuta su un sito di incontri.

Io e Kareen e Cinzia e Danilo una sera di anni fa, a pattinare sul ghiaccio, quando la nostra vita sembrava intatta. Al contrario del mio amico, non mi illudevo di riavere la vita di prima. Quindi cosa volevo? Ero fuori dal mercato del lavoro da circa un anno, recessione economica che si accaniva sul pianeta come un monsone. Strinsi più forte le palpebre.

"Sei sveglio? Lo so che non stai dormendo." Danilo era in piedi a mezzo metro da me. Fece un saltello da un piede all'altro. "Il deserto ci aspetta."

"Lascialo aspettare."

Lui non si mosse.

Mi stropicciai gli occhi e infine, di malumore, mi alzai e cominciai a chiudere il divano-letto, in silenzio, nella casa addormentata.

Erano le quattro del mattino. Almeno un'ora alla prima traccia di luce. Non sapevo perché gliela stavo dando vinta, d'altro canto sapevo che non avrei più dormito. Ci vestimmo sempre in silenzio. Lasciai un biglietto per ringraziare e scusarmi del modo in cui ce ne stavamo andando.

Fuori, rabbrividii nell'umidità della notte. Le candele alla citronella erano sul tavolo, spente, una natura morta cerosa. Girammo intorno alla casa e sbucammo sulla strada, dove aspettava la monovolume.

Otto ci seguì per un tratto, mugolando piano. "Amico," gli comunicò Danilo. "Ci dispiace, meglio che tu stia qui. Lo so che preferiresti una coppia di padroni giovani e fighi ed etero come nelle pubblicità di cibo per cani. Ma questa è la vita che ti è capitata. Non lasciare troppi peli in giro. Abbi cura di te."

Mentre lui metteva in moto, e la macchina si staccava dal ciglio della strada per avanzare sulla carreggiata deserta, gettai uno sguardo alla casa che ci aveva ospitati.

Mi sentivo in colpa. Andarsene così, che orrenda maleducazione. Eppure non potevo negare un accenno di sollievo. Pur con tutti i dubbi di Martin, la sua indecisione sulla propria vita, non era difficile giudicarla una vita fortunata: il problema di Martin era un sovrappiù di amore, quello per il suo Dio e quello per il suo uomo. Ritenevo che non ci fosse molta gente al mondo ad avere lo stesso problema. E io, quando me ne aveva parlato davanti a un barbecue, con i marshmallow che si scioglievano sulla griglia, mio malgrado mi ero sentito invidioso.

***

Ho un ricordo sognante di quel viaggio in macchina, nell'ultimo buio elettrico della notte, attraversando Los Angeles.

I colori bluastri della città e i fari delle altre macchine, lungo le corsie multiple della Santa Monica Freeway. Danilo doveva aver studiato il tragitto, guidava con sicurezza e nell'abitacolo invaso dai bagliori della strada il suo profilo contro il finestrino pareva brillare di pallida luce.

Mise della musica, Gonjasufi, un suono acido e incalzante con cori gracchianti, mistici, una voce che cantava di antenati e visioni. Uno sciamano hip hop. La città era un mistero di striature luminose. Uffici e negozi dominati da neon spettrali, un diner notturno nel cui cortile un cameriere ammassava sacchi di spazzatura, un caseggiato annerito da un recente incendio. Il flash multicolore di una stazione di servizio. Case, mille case sovrastate da ripetitori di onde magnetiche. Da qualche parte più a nord doveva esserci Hollywood e in lontananza vedemmo il riflesso di un lampeggiante della polizia, una macchia lieve che sfumò quasi subito, come cercando di indicarci la strada. Noi proseguimmo verso est.

Tagliammo per la Pomona Freeway e dopo un tempo indefinito ci accorgemmo che davanti a noi, a oriente, il cielo aveva cominciato a schiarire.

***

"Che i monaci fossero uomini sereni era una mia fantasia," disse. Eravamo in uno Starbucks lungo la strada. Stavamo bevendo caffè a un tavolo contro la vetrina, guardando fuori l'asfalto scaldato dal sole, lattiginoso, del primo mattino.

Mi abbandonai contro la sedia. Bevvi un sorso, amaro e bollente, ma la sensazione sognante che mi accompagnava da quando avevamo lasciato la casa di Martin e Paul non sfumava.

Danilo, al contrario, tradiva appena la mancanza di sonno. Teneva gli occhi socchiusi nel suo modo sornione, era al secondo bicchiere di caffè e alle sei e mezzo del mattino era in vena di polemiche.

Mi alitò addosso il suo punto di vista. Uomini con la pretesa di fare gli asceti, di chiudersi in un monastero, non potevano che diventare dei frustrati, dei deprivati sessuali. Soffrire di imbarazzanti carenze affettive. Come facevo *proprio io* a non capire, ah ah? Avevano evidente bisogno di una donna, o di un uomo se era ciò che preferivano, bisogno di calore umano. Bisogno di fare sesso.

Finiva che uno non reggeva più, rompeva i voti e metteva su casa con il primo buddista incontrato da qualche parte, all'insegna di un'ancora più morbosa promiscuità religiosa. No, non gli piacevano i monaci e neppure gli ex monaci.

Fuori l'autostrada si era riempita, un flusso di abitacoli gonfi di aria condizionata, autoradio sintonizzate sui notiziari mattutini, corpi lanciati verso il destino del nuovo giorno.

Nel giro di poco ci saremmo rimessi in macchina. Ci saremmo lasciati la metropoli alle spalle. Non ci sarebbe più stata chance di abbandonare Danilo, di prendere un autobus e risalire a Big Sur. Ormai, era un viaggio in cui non si tornava indietro: soltanto avanti, soltanto attraversare tutto ciò che avrei trovato.

Considerai di bere un secondo caffè.

Ricordai a Danilo che la gente di cui stava parlando gli aveva dimostrato amicizia. E comunque, se dei monaci a un certo punto uscivano dalla vita religiosa, se amavano donne o uomini o persone di altre fedi, non mi parevano questioni fondamentali.

"Eccome," si agitò sulla sedia. Il suo fiato sapeva di caffè. "La chiesa rompe le scatole al mondo intero, su queste questioni. Soprattutto a noi italiani."

"E chi se ne frega della chiesa. Rudi si è scelto apposta un eremo in capo al mondo. Ci sono un sacco di modi di essere cristiano."

Si sporse verso di me. "Non sono venuto in California per sentir parlare di frati e di cristiani."

"Allora non parliamone. Sei tu che hai iniziato."

"Lo so cosa pensi."

"Sentiamo."

"Pensi che le grandi religioni siano cose serie, tutto il resto no."

Nei rumori ovattati della caffetteria, avrei voluto crollare con la testa sul tavolo e dormire. "Penso che le grandi religioni," accennai, "anche se non mi identifico in nessuna di esse... Penso siano tradizioni che da millenni riflettono sugli abissi del bene e del male. Sono fatte di chiaroscuri, di violente contraddizioni. Come del resto l'animo umano. Le cose new age che piacciono a te mi sembrano invece improvvisate. Non si interrogano mai sul serio su cosa sia il male, si limitano a promettere guarigioni di superficie."

"A me non piacciono le cose new age."

"Ricordo quando hai speso una fortuna in cristalloterapia. Cos'era, quattro anni fa?"

"Non c'entra. Parliamo di sciamani in questo caso. E si tratta di figure antiche quanto le tue religioni millenarie," disse risoluto. "Antiche e serissime."

"Gli sciamani, sì." Fissai le sue iridi dal colore acquatico. "Ma gli occidentali convinti di poter andare nel deserto e guarire, qualunque sia il loro problema, con il rito di una serata..."

Distolse lo sguardo. Agitò il caffè nel bicchiere, fissandolo come cercando di specchiarsi, di trovare il proprio viso sulla superficie del liquido.

La luce contro la vetrina era sempre più bianca, illuminava la pelle sotto i suoi capelli radi.

Raddrizzò le spalle e ghignò: "Questi discorsi non li bevo. Non fatti da te".

"Beh," dissi. Intuivo già dove voleva arrivare. "Dobbiamo parlarne di primo mattino?"

"Scommetto che pensavi alla serietà delle grandi religioni, agli ascetici modi di essere cristiano, mentre facevi le corna alla tua donna."

"Credo che andrò a prendere un secondo caffè."

"Mentre ti sbattevi quella tizia nel bagno di un bar."

Mi alzai. Qualcosa mi pulsava in gola e nello stomaco. Aveva un gusto metallico, il rimorso: era come provare a digerire un coltello.

Danilo in fondo aveva ragione. Perché parlare di religioni – le religioni erano fatte di fede, io ero il peggiore degli infedeli. La mia infedeltà, la mia incapacità di dedicarmi sul serio a un'altra persona. Pensai a Martin, a Paul, l'ex monaco surfista e il silenzioso orientale. A quest'ora dovevano essere svegli, chiedersi perplessi cosa ci avesse preso per fuggire in piena notte. Il Buddha che vegliava nel loro soggiorno. Il giardino immerso nel suono degli irrigatori. Era confortante e insieme insopportabile, il pensiero che qualcuno al mondo potesse ancora vivere in coppia, dormire ancora accanto a qualcun altro. "Vado a prendere quel caffè."

"Prendine uno anche per me."

"Ne hai già presi due e mi sembri carico."

"Ehi," soffiò Danilo quando già mi ero avviato verso il banco.

Mi girai. Alle sue spalle, il traffico era ormai febbrile. La mia roulotte a Big Sur, e i monaci con i loro canti mattutini, che fossero di beatitudine o di solitudine sessuale, erano lontani.

Incrociai i suoi occhi. Ebbi la sensazione che mi stesse guardando con improvvisa dolcezza. Come mi guardasse per l'ultima volta. Un'occhiata di affetto, di infinita fratellanza. Quindi si scosse e si mise a ridere: "Sei proprio una puttanella," disse.

***

All'altezza di Beaumont ci ricongiungemmo alla Interstate 10 e attraversammo gli ultimi sobborghi. Il giallo del deserto si annunciava qua e là, strisce di polvere secca tra un edificio e l'altro, attorno alle aree di servizio. Piante di yucca e i primi cespugli di creosoto.

Superammo il San Gorgonio Pass, il paesaggio si stava svuotando.

Sparirono le costruzioni lungo la strada, sparirono gli Holiday Inn, i caseggiati anonimi, i prefabbricati con condizionatori d'aria sul tetto piatto.

Laggiù in fondo alcune pale eoliche si alzavano da un'altura, come fiori curiosi, a osservare la strada. Il traffico si era diradato ma non eravamo ancora soli. Fu soltanto più tardi, dopo aver superato l'area di Palm Springs e il bivio di Desert Center, che la carreggiata si ridusse a due corsie e il traffico si fece quasi inesistente.

Ogni segno di presenza umana pareva scomparso alle nostre spalle, quasi dissolto dal flusso della luce.

Conservavo in bocca il sapore del caffè dello Starbucks. Eppure di fronte allo strano, sensuale shock di questo ingresso nel deserto, cosa rimaneva di tutte le sensazioni urbane – di Los Angeles e della California dietro di noi, delle sue palme e delle scogliere, dei bar che offrivano frullati alla spirulina, del suo sincretismo religioso, di ciò che avevamo visto e intravisto: coffee shop, donne siliconate, homeless lungo le strade, macchine con tavole da surf sul tettuccio?

Ebbi l'impulso di dire a Danilo che stavamo andando troppo veloci. Ma sbirciando il tachimetro mi accorsi che eravamo nei limiti, settanta miglia all'ora.

La luce copriva ogni superficie. Si infilava in ogni piega del paesaggio, penetrante, contagiosa.

La luce era nel cielo terso, sulla strada e sulle rocce sbiancate dal sole. Si rifletteva sul terreno sabbioso. Rimbalzava sui minuscoli granelli di quarzo, si infilava nell'auto e sotto i miei occhiali da sole.

Ci fermammo in un'isolata stazione di servizio. Danilo trafficò con la pompa della benzina, io entrai nel piccolo negozio a fare provvista di bottiglie d'acqua, snack, biscotti, barrette energetiche. Trovai della crema solare.

Tornai fuori, la luce mi feriva gli occhi e consumava i colori. Trasformava il paesaggio in una pianura biancastra, grigiastra, argentata, una distesa del colore del sale, del colore quasi di un gigantesco specchio.

Là in alto, notai due grossi rapaci. Disegnavano cerchi nel cielo illimitato. Mi bloccai: erano condor, realizzai, e mi sembrò una coincidenza notevole avvistare degli esemplari pochi giorni dopo quelli visti a Big Sur. Li osservai con meraviglia. La loro bellezza era la stessa del cielo – pura, remota e misteriosa.

***

Viaggiavamo da poche ore nel deserto del Mojave e mi sentivo schiacciare. La potenza ipnotica del vuoto. Guardavo fuori dal finestrino, mi mancava il respiro. Abbassare il vetro non era una buona idea, sarebbe entrato il bollore esterno: avevamo l'aria condizionata al massimo e bastava appena a mantenere una temperatura sopportabile.

Anche l'oceano di fronte al quale avevo dormito per mesi, a Big Sur, era enorme e vuoto. Però lo avevo osservato dalla collina, aggrappato al mio rifugio.

Qui, la macchina si spingeva inesorabile in avanti. Il nastro della strada e il suono cullante del motore. Rari veicoli ci venivano incontro sull'altro lato, provenienti dallo spazio ignoto davanti a noi.

Rabbrividivo, sudavo, mi sembrava di essere ancora là, steso su un divano-letto, a galleggiare in un dormiveglia sognante. Non riuscivo a decidere cosa provavo: repulsione, oppure attrazione per la distesa che ci circondava.

Il nostro dialogo andò e sfumò, più volte, rarefatto come il paesaggio. Per un poco bisticciammo ancora sulla questione del new age.

Ero io stavolta a riaccendere la discussione. Non poteva certo negare, Danilo, di essere un poco new age. Nel corso degli anni aveva provato una quantità di altre terapie alternative, rebirthing, medicina antroposofica, kinesiologia applicata, magnetoterapia, pranoterapia, respirazione olotropica, sedute con esperti di energia orgonica. Quanti soldi aveva speso per pasticciare con tali cose? E senza mai abbandonare gli psicofarmaci.

A sua parziale discolpa, era vero che in seguito aveva trasformato queste esperienze in materia per un monologo comico. Con alcuni brani del monologo era stato anche a un paio di trasmissioni televisive.

Non so di preciso cosa intendevo arrivare a dire. Forse che tra le polidipendenze di Danilo, oltre ai farmaci e all'alcol e al cibo e alle droghe leggere e alla rete e al porno – che tra le sue dipendenze c'era quella per le terapie parascientifiche. O intendevo che un giorno, magari, avrebbe scritto un monologo comico sul nostro viaggio nel deserto?

"Mio caro," fece lui. Minuscole gocce gli imperlavano la fronte, aveva un mezzo sorriso stampato in volto e guidava con sicurezza. Era un cavaliere nel pieno della sua avventura. "Vedo che il deserto ti rende nervoso. Perché non ti rilassi e ti godi il viaggio..."

"Non sono nervoso." Presi a picchiettare con le dita sul cruscotto. "È un paesaggio interessante. Certo," aggiunsi con voce meno disinvolta di quanto avrei voluto, "dev'essere un brutto affare perdersi da queste parti."

"Non ci perderemo," disse Danilo.

"Avremmo dovuto prendere le mappe che Martin ci aveva offerto. Ricordi? Doveva darcele stamattina."

"Non ci servono mappe. Sul mio telefono c'è un ottimo navigatore."

Fissai la scimmietta di peluche davanti a me, la mascotte della compagnia di autonoleggio, quasi aspettando da lei un cenno di rassicurazione. "Questo sciamano," dissi. "Siamo sicuri che lo troveremo?"

Una pausa di silenzio. "Rilassati," ripeté lui.

Mi era difficile riuscire a farlo. "Come si chiama?"

"Chi?"

"Il tuo sciamano."

"Anselmo."

"Anselmo?" Il sole entrava attraverso il finestrino. Presi il flacone di crema solare e cominciai a spalmarmela sulla faccia.

"O almeno così si fa chiamare. Mezzo messicano, mezzo nativo americano, qualcosa di simile. Mi spalmeresti un po' di quella roba sulla nuca?"

"Qualcosa di simile," mi limitai a riecheggiare.

"Dunque, la storia è che era un uomo perduto. Un depresso, un senza famiglia, seriamente alcolizzato. Era sul punto di morire quando ha trovato un guaritore tradizionale che lo ha curato. E gli ha insegnato come essere un guaritore."

"Dove hai avuto queste informazioni?"

"In rete. Racconti di altri viaggiatori." Afferrò il flacone di crema e si arrangiò a spalmarsela sul collo, con una mano, tenendo con l'altra il volante. "Le notizie sono frammentate. Sai com'è la gente quando fa questo tipo di esperienze, c'è sempre un'aria di mistero esclusivo."

"E sentiamo," incalzai. "Quale sarebbe la tecnica di guarigione?" Non aspettai la risposta. "Sia chiaro che io non partecipo ad alcun rito, non bevo strani intrugli, non mangio tortini di peyote. Non mi faccio sballare da un tizio di nome Anselmo."

"Nessuno te l'ha chiesto. È il *mio* viaggio di guarigione, giusto?" ghignò. Restituì il flacone lanciandolo sulle mie gambe. "Anni fa non ti saresti tirato indietro di fronte a un tocco di psichedelia."

"A vent'anni si è disponibili a fare certi esperimenti. Adesso non ne ho più bisogno."

"Stiamo parlando di pratiche di guarigione. Piante usate da millenni."

"Ti sei convinto che un cactus del deserto sia una specie di superpsicofarmaco," dissi. "La definitiva terapia alternativa. Beh, tanti auguri."

"Non mi sono convinto di nulla. Voglio solo trovare quest'uomo," fu la risposta.

Restammo ad ascoltare il sibilo delle gomme sull'asfalto infuocato, il soffio dell'aria condizionata.

Attraversammo un microscopico insediamento. La scultura di un dinosauro verde sorvegliava la strada. A bordeggiare l'orizzonte c'era una macchia di joshua tree, gli alberelli contorti, con rami come braccia invocanti verso il cielo, che avevano ossessionato gli esploratori mormoni dell'Ottocento.

Passata una mezz'ora decidemmo di accostare. Aprii lo sportello.

Intorno il vuoto monotono, magnifico. Scendemmo dall'auto e ci sgranchimmo le gambe. Con il motore zittito, il silenzio ci venne addosso con violenza.

Indossavo una camicia di lino che mi proteggeva le braccia dal sole. Me l'aveva regalata Kareen un paio di anni prima, chissà se avrebbe mai pensato che l'avrei messa in questo posto. Da qualche parte tra California e Arizona. Cespugli bassi occupavano il panorama, cespugli in tutte le direzioni, un'infinita distesa di ciuffi spinosi, a distanza regolare gli uni dagli altri. Potevo immaginare la loro vita nascosta. Le loro radici allungarsi nel terreno, metri e metri di filamenti alla ricerca di umidità. Mi sbottonai i pantaloni, esposi il pene al sole, e mi chiesi se la mia urina avrebbe dissetato quelle radici.

Sostammo alcuni minuti. Fu il turno di Danilo di innaffiare i cespugli. Infine si riavvicinò e mi fece segno di uscire dalla macchina. "Vieni a vedere. Abbiamo un'amica qui sotto."

Mi indicò di accovacciarmi e guardare sotto il veicolo. "Non posso crederci," dissi.

Una tartaruga, una grossa tartaruga del deserto, si godeva l'ombra della macchina. Ci guardò con aria risentita. Stavamo disturbando il suo relax.

"Dovremo ripartire facendo attenzione," sussurrai.

"Faremo attenzione," concordò.

Respirai a fondo l'aroma della carrozzeria ustionata dal sole, l'aria secca e l'ossigeno illimitato. Stupore caldo emanava dalla sabbia, dalle rocce, dalle tracce di lucertole sulla polvere intorno. Qualcosa si sciolse nel mio petto. Emisi un piccolo rutto liberatorio. Repulsione, attrazione, la strada libera davanti a noi. "Senti," decisi. "Mi piacerebbe guidare un poco."

**

Era senza fine questa sensazione sempre più forte, concreta, quasi solida: andando, stavamo andando. Avevamo superato il fiume Colorado, e un ulteriore insediamento di case con una piramide sovrastata dalla sagoma di un cammello. Il deserto era pieno di animali, veri o raffigurati.

Danilo si occupava della musica, trafficando con la radio,

oscure stazioni che trasmettevano classici rock, ballate country, sermoni religiosi in spagnolo.

Quando il segnale spariva o la programmazione non lo soddisfaceva, collegava il telefono e pescava dalla sua provvista di canzoni. Nick Drake, Tim Buckley, Jackson C. Frank, musica che pareva assumere nuove sfumature nel colore di quella luce, nuove forme di trasparenza. E poi altra musica più energetica, pulsante. Era difficile non premere troppo sull'acceleratore.

Il telefono gli serviva, certo, per controllare se c'era ricezione. Persino nel deserto c'erano la posta, i profili, Twitter e il resto. Ma si limitò a guardarli una mezza dozzina di volte. "Sarebbe l'ora di un drink," osservò.

Avevamo viaggiato tutto il giorno ed eravamo abbondantemente nel territorio dell'Arizona.

Il Mojave sfumava nel deserto di Sonora e il sole ormai basso, dorato, scaldava i colori delle alture a forma di cono, forse antichi vulcani spenti.

Dovevamo essere a un centinaio di chilometri da Phoenix quando a un incrocio notammo il cartello di un motel. THE BLUE LEISURE – DINER AND RESORT. Diceva di svoltare a sinistra e proseguire per cinque miglia. Sembrava la trama di uno di quei film horror in cui gli incauti viaggiatori si lasciano attrarre in una trappola in mezzo al nulla.

Al contrario, trovammo un'oasi. Una manciata di costruzioni circondate dai saguari.

Il sole che tramontava tra gli steli dei cactus e alcuni bungalow, protetti da palme e tendoni, riuniti intorno a una piccola vasca riscaldata.

Il proprietario era un vecchio spilungone dalle basette grigie, in bermuda e stivali: "Siete fortunati ad aver trovato aperto," disse. Ci spiegò che di lì a pochi giorni avrebbe chiuso per il resto dell'estate, e riaperto più avanti per la stagione degli *snowbird* – i pensionati che calavano sfuggendo all'inverno degli stati del Nord.

Ci servì una cena a base di insalata di pollo innaffiata da birra Sierra Nevada.

Danilo propose un brindisi. "Al viaggio," pronunciò con un tono di trionfo, di frenesia stanca. Aveva il viso segnato dalla giornata e occhi quasi febbricitanti. I vetri delle nostre bottiglie produssero un tintinnio.

"Senti, mi dispiace esserti stato addosso per i tuoi, ehm... trascorsi sessuali," si scusò. "Quel che è successo nei tuoi ultimi mesi con Kareen non è affare mio. Non è giusto giudicarlo." Mi fissò un paio di secondi.

"E a me dispiace non esserci stato quando Cinzia se n'è andata." Bevvi un sorso. "Soltanto, non chiamarmi più in quel modo, d'accordo?"

Eravamo gli unici clienti oltre a un gruppetto che sedeva all'altro angolo del ristorante.

Facevano un certo baccano, parevano essersi concessi qualche brindisi più di noi. Non ci badammo. La mancanza di sonno si faceva sentire e il cibo e la birra ebbero l'effetto di un sonnifero.

Scivolammo nel nostro bungalow dove Danilo estrasse qualche pillola dal suo astuccio-farmacia, la ingoiò e iniziò a russare.

Tolsi la camicia di lino e la tenni tra le mani. L'occhiata di Danilo, poco prima a tavola, mi aveva confermato che ricordava quale giorno fosse. La vigilia del matrimonio. Domani Kareen si sarebbe sposata.

Eppure, cosa importava? Sarebbe stato anche il giorno in cui Danilo avrebbe trovato il suo sciamano e io, beh, mi sarei limitato a osservare il mio amico che realizzava il suo desiderio. E a immaginare, a distanza, il matrimonio del mio ex amore.

Mi sentivo prosciugato come la polvere là fuori. Tutta la

vita avevo desiderato un'unica cosa, non restare solo. E invece... Non iniziare a pensarci. Dovevo riuscire ad addormentarmi. Danilo continuava a russare, ed era quasi una fortuna nel silenzio straziante del deserto. Mi tirai addosso il lenzuolo. Perché era tanto difficile lasciarsi andare, spegnere la sentinella della coscienza? Lasciati andare, sussurrai a me stesso. Lasciati andare.

***

Aprii gli occhi nel buio e subito non capii cosa mi aveva svegliato. Sbattei le palpebre, confuso, affamato di sonno, fino a quando riuscii a distinguere: risate di ragazze, la voce stonata di un uomo che cantava un pezzo. *With or without you*. Schizzi d'acqua, altre risate. Una baldoria proprio fuori dal nostro bungalow.

Anche Danilo si era svegliato. "Che accidente succede?" lo sentii lamentare dal suo letto. Afferrò il telefono dal comodino e controllò sullo schermo: "È l'una e mezzo".

La baldoria non cessava. Ci alzammo entrambi, in mutande, irritati e barcollanti. Appena spalancai la porta del bungalow, il freddo ci assalì.

Nella luce bassa del faretto esterno, di un colore carnoso, la scena che ci apparve ricordava quella di un film soft porno.

Un uomo e tre ragazze stavano nella vasca riscaldata, tra le nuvole di vapore che l'acqua produceva, a quest'ora, a contatto con la notte fredda del deserto. Ridevano spensierati, chiaramente sbronzi. Era lo stesso gruppetto che avevamo visto poche ore prima nel ristorante.

"Scusate..." dissi avanzando verso la vasca, intendendo lamentarmi.

Danilo mi seguì. "Ma guarda," fece, di colpo sveglissimo nonostante il sonno interrotto, la birra della cena e le pillole.

Pensavo che anche lui stesse per lamentarsi del baccano, invece commentò: "Bella festa".

Una delle ragazze, una biondina dai capelli corti, si accorse di noi. "Che fate lì?" chiese vedendoci in piedi, in mutande, con le braccia incrociate per proteggerci dalla temperatura. Scoppiò a ridere e ci fece segno di entrare.

Pensai che l'invito servisse ad ammansirci, a impedirci di protestare. In ogni caso anche gli altri nella vasca, compreso l'uomo, ci invitarono a gran voce.

Il freddo pungeva la pelle e il cielo ci guardava, pulito, stellato, attraverso le nuvole di vapore.

Era una vasca rotonda, a metà tra una micropiscina e una jacuzzi, e nonostante fossero già in quattro c'era posto per un altro paio di persone.

Entrammo nudi, adattandoci allo stile del gruppo. No, non era la scena di un film soft porno, ma l'abbraccio dell'acqua calda fu estremamente piacevole, quanto le birre gelide, le bottiglie coperte di condensa, che l'uomo ci passò dopo averle pescate da una bacinella a bordo vasca.

Scoprimmo che in realtà non erano un unico gruppo. Si erano incontrati quella sera al ristorante del resort.

Harry, un tipo sui trenta con un paio di baffi rossicci a manubrio, viaggiava con una delle ragazze, Vanda, uno scricciolo sorridente dai capelli scuri. La biondina che ci aveva invitati per prima si chiamava Greta, aveva un delizioso brillantino sotto il labbro e viaggiava con l'altra, Hennie, altrettanto bionda e con la pelle lattea. Erano turiste olandesi e andavano in direzione opposta alla nostra per visitare i Blythe Intaglios, le gigantesche misteriose figure lasciate incise nel terreno da un antico popolo indiano.

Chiacchierammo della loro meta, e di villaggi fantasma e di leggende del deserto, mentre la nuova birra entrava in circolo e lievi onde di luce, riflesse dall'acqua, tremolavano sulle nostre facce. Il piccolo piercing sotto il labbro di Greta brillava a tratti. Mi domandò quanti joshua tree avessimo visto finora.

"Un sacco," dissi. "Più andrete verso il Mojave, più ne vedrete."

Parlammo delle foto di copertina di un vecchio disco degli U2, scattate da quelle parti, e dei fan che si avventuravano a cercare il punto esatto delle foto. Capii il motivo per cui prima Harry stava cantando *With or without you*. Allora la canticchiammo insieme, più stonati che mai... Ebbi un brivido. Stesi la testa all'indietro e là sopra le costellazioni pulsavano, ritmiche, trasmettendo in un remoto codice morse.

Ripresero le risate. "Dunque siete italiani..." commentò Harry guardandoci sornione.

Sentimmo che stava arrivando qualche battuta di quelle tipiche, sulla politica italiana o argomenti simili, e Danilo lanciò un attacco preventivo: "Ehi. Non eravate voi californiani ad avere Terminator come governatore?".

Harry rise, pescò altre due birre e ce le allungò.

La temperatura dell'acqua era perfetta. Ed era piacevole la sensazione del corpo di Greta vicino, a pochi centimetri, ma decisi che non poteva succedere nulla. Non stanotte. Non a poche ore dal matrimonio di Kareen.

C'era qualcosa di comico e sacro in questa notte, il silenzio solenne del deserto, il vapore che si alzava, una quantità di bottiglie di birra disponibili, lì accanto, nella bacinella piena di ghiaccio mezzo sciolto.

A tratti mi attraversava come un crampo il pensiero della mia solitudine, della mia miseria esistenziale, e guardando Danilo leggevo sulla sua faccia lo stesso pensiero e qualcosa si rispecchiava dal suo sguardo al mio e continuava a rimbalzare, fino a disperdersi nel vapore. Ridemmo ancora. Era il momento del mio amico.

Si mise a raccontare pezzi del suo vecchio monologo sulle terapie new age, prendendosi in giro, facendoci ridere persino così, in inglese, un comico nudo dentro una vasca calda. Poi la barzelletta su Monica Lewinsky, una storiella stupida che lui sapeva reinterpretare, imitando la voce del genio della lampada che dice a Monica: esprimi un desiderio, lei ci pensa e dice beh, mi vedo un po' cicciottella, farei volentieri a meno delle maniglie dell'amore – il genio dice bene, zam!, e le spariscono le orecchie.

Una falena del deserto svolazzava intorno alla vasca. Non so per quanto rimanemmo dentro, quante birre scolammo.

Alla fine, la pelle dei polpastrelli era grinzosa e la luce del faretto sfumava in quella del giorno.

Mi accorsi vagamente che Danilo si allontanava con l'immancabile telefono in mano. Non ci badai, tornai nel bungalow. Dov'erano le mie mutande? Solo adesso, un attimo prima di crollare sul letto, ancora umido, ubriaco, mi accorsi di avere il pene arrossato. Me l'ero scottato nel minuto di una pisciata a bordo strada, nel pomeriggio, sotto il sole del Mojave. Domani, crema solare ovunque.

***

Era il fulgore del tardo mattino quello in cui mi svegliai, mi stropicciai gli occhi, mi sollevai con un capogiro da doposbronza e rimasi a studiare, per qualche minuto, il viso del mio amico.

Dormiva. Il sonno distendeva i lineamenti fino a renderli infantili, disarmati rispetto alla luce che scivolava sulla sua pelle, indiscreta, quasi tagliente.

La faccia era immobile, un'istantanea in grado di contenere mille istantanee. Il Danilo che a diciassette anni aveva fatto a pugni per difendermi fuori da un locale. Il Danilo delle prime esibizioni, con un numero in cui impersonava l'urologo di un pornodivo, e quello del giorno del suo matrimonio, così stordito di farmaci da essere barcollato addosso al sindaco.

Il Danilo che una sera su una pista di pattinaggio sul ghiaccio, dopo che avevo sbattuto il culo più volte, mi aveva insegnato a pattinare dicendo amico, devi scivolare, devi quasi volare.

Misi un paio di pantaloni e mi spinsi fuori dal bungalow. Avevo la gola secca e la lingua impastata.

La vasca era lì, sotto il sole, nessuna traccia della festicciola notturna.

I due californiani e le ragazze olandesi dovevano essere partiti per le rispettive mete, lasciando il resort in una calma quasi soprannaturale. Se n'erano andati. L'alito caldo del deserto mi lambiva le tempie.

Al riparo di una delle tende da sole, studiai la vasca. Sì, quello che si rifletteva sul filo dell'acqua sembrava all'incirca il sole di mezzogiorno. In Italia era quasi sera, sapevo che il matrimonio era stato nel tardo pomeriggio. Era fatta, era la moglie di un altro.

Non potevo crederci. La mia gola era così arsa, dovevo andare a cercare dell'acqua.

Dovevo fare colazione. Dovevamo iniziare a prepararci e poi, magari nel giro di un paio d'ore, dopo che il sole avesse perso in parte la sua veemenza, rimetterci in strada. Non restava altro da fare.

Tornai dentro. "Danilo," sussurrai. Nessuna risposta. "Danilo."

"Che c'è?" fece a occhi chiusi. Il suo tono mi rivelò due cose. Non aveva una voce assonnata. Compresi che era sveglio da tempo e mi chiesi se lo fosse stato anche prima, quand'ero rimasto a studiare, per interi minuti, le linee della sua faccia.

"Sto andando a vedere se il proprietario ci prepara la colazione. Ti interessa?"

"No," disse.

Inoltre, qualcosa era successo in lui. Doveva essere stato nel sonno, a qualche punto, una tossina che si era diffusa in lui, una reazione chimica andata storta. La chimica del suo umore. Conoscevo quella voce scura e piatta.

"Suppongo che tra un po' ci convenga rimetterci in viaggio."

"No." Si girò sul fianco con una lentezza estrema, cauta, come se il corpo fosse fatto di cristallo. Adesso la faccia era contro il muro, al riparo dalla mia vista. Dovevo aspettarmelo. Era finito in uno dei suoi abissi umorali. "Non ci rimettiamo in viaggio," disse, "non c'è più nessun viaggio. L'avventura si chiude qui."

***

Uscì fuori che all'alba, mentre io crollavo sul letto, lui si era appartato con il suo telefono. Aveva fatto una chiamata in Italia. Era rinvigorito dal lungo bagno e dalla magia della nottata e si sentiva ottimista al punto di voler dire a sua moglie che tutto sarebbe andato bene.

Stava per guarire, le aveva detto. Non ci sarebbero più state crisi depressive né episodi maniacali né flaconi di farmaci sparsi in bagno e sulle mensole della cucina. Presto potevano tornare a vivere insieme.

Cinzia gli aveva chiesto se era sbronzo.

Sì, aveva confessato lui, e sono nel deserto e sta salendo una magnifica alba e il mondo, nonostante tutto, potrebbe tornare a essere un posto abitabile.

"Hai chiamato Cinzia!?" feci io sedendo sul letto. "E cosa ti ha risposto?"

Lungo silenzio. Il suo corpo sotto il lenzuolo non si scosse neppure quando il ventilatore sul soffitto iniziò a girare, da solo, azionato da un timer. Una corrente d'aria popolò la stanza.

"Danilo?"

"Ha risposto che non torneremo mai più insieme."

"Come ti è venuto in mente di chiamare tua moglie mentre eri sbronzo?"

Il suo corpo era una mummia di indifferenza. No, il mondo non stava affatto tornando abitabile, era anzi un posto più irraggiungibile che mai.

"Lo so," disse. "Sono uno stupido. Un comico idiota, uno che fa ridere soltanto perché fa pena, uno che ha perso il suo pubblico e si è fatto licenziare. Non serve che me lo dici. Lo so, uno di cui una donna si è innamorata per sbaglio, e prima o poi doveva accorgersi di che razza di idiota sono. Un inetto da sempre e per sempre. Chissà a cosa pensavo potesse servire quella chiamata, e questo viaggio. Puoi andartene a fare colazione, se ti va."

"Andiamo, non fare la scena. Non ci credo che non hai fame." Non sapevo dove guardare, con lui voltato verso il muro. "Pancake? Bacon? Chissà cosa ci prepara il vecchio con gli stivali."

Immobile. "Lo so che secondo te non sono malato abbastanza. Non come la tua ex ragazza, giusto?"

"Amico, girati." Non sopportavo più di parlare a un lenzuolo. "Questa notte eri a mollo in una vasca di acqua calda, sbronzo, davi spettacolo davanti a delle ragazze nude. Non eri proprio il ritratto del depresso."

"Che vuol dire? Sono un depresso edonista."

Provai una risata, si spense come una candela sotto il soffio del ventilatore. Avevo la nuca ghiacciata.

Lui si girò. Dalla lentezza con cui si muoveva, sembrava davvero che l'intero corpo gli facesse male.

La faccia era la stessa, ma non c'era più nulla di infantile. Le rughe precoci sembravano lì da sempre, incise da una mano crudele, antica come quella degli indiani che avevano lasciato i giganteschi graffiti nel deserto. "Questo viaggio non serve a nulla. Torniamo indietro. Puoi tornartene al tuo monastero, non è quello che desideravi?"

***

Mi girava la testa, non più per il doposbronza. Forse per la fame.

Andai in cerca del vecchio proprietario, lo trovai nel ristorante davanti a un televisore che pareva avere più anni di lui. "E il tuo amico?" domandò.

Sullo schermo, la Cnn trasmetteva immagini di una rivolta urbana da qualche parte in Europa. Ragazzi che innalzavano cartelli e resistevano alle cariche e lacrimogeni e poliziotti in tenuta antisommossa.

Chi erano, i disoccupati in Grecia? Erano i giovani in Spagna, o era magari l'Italia? Restai a guardare il servizio. Era difficile trovare una buona scusa per il fatto di non essere là anche noi, in piazza con quei ragazzi.

Eccomi, seduto a un tavolo con una tovaglia bianca macchiata di birra, davanti al piatto di uova alla rancheros e al bicchiere di succo d'arancia che il vecchio mi aveva servito. Inghiottii, era insapore. Aggiunsi del pepe che mi irritò ulteriormente la gola. Era finita, stavamo per tornare indietro: in effetti, come aveva detto Danilo, non era quello che avevo desiderato?

Mi trascinai fuori, nel pomeriggio torrido. Il capogiro era passato ma non smettevo di sentirmi stordito.

Indugiai di fronte alla vasca. Lui, il tizio con cui Kareen si era appena sposata, era un militante di un'associazione ambientalista.

Lo conoscevo di sfuggita. Mi chiesi se la stava portando

in casa, in questo momento, tenendola in braccio. Se lei rideva, se le sue mani erano tiepide sulla nuca di lui. Mi chiesi com'era vestita. Se aveva brindato con un bicchiere di prosecco, se stava prendendo farmaci, se era magra, se faceva yoga. Avevano uno stipendio, pagavano un mutuo oppure un affitto? La casa era piena di articoli Ikea o di roba trovata nei mercatini?

Per settimane, per mesi, avevo fantasticato un colpo di scena. Del tipo volare in Italia e arrivare di corsa al matrimonio giusto in tempo per gridare *no!* prima della promessa nuziale.

Non era successo nulla del genere. Ero finito nel deserto americano e ora stavo per tornare sulla costa. Riflettei che il colpo di scena della vita era continuo, diffuso, era la vita stessa, la sua abilità di creare incessanti spiazzamenti.

Il tremolio dell'aria sopra la vasca. Il silenzio sempre più assorto del deserto. Notai due ombre proiettarsi sull'acqua, alzai gli occhi e li vidi.

C'era troppa luce in quel cielo, gli occhi distinguevano a stento. Possibile...? Li vidi lanciarsi in alto, restare in bilico e poi planare in movimenti circolari. Due grandi condor neri nel cielo dell'Arizona.

Un'ondata di brividi mi risalì le braccia. Chiusi gli occhi abbagliati e quando ripresi a guardare erano scomparsi.

Li avevo visti, ne ero certo. Erano condor! Erano *quei* condor? Mi chiesi se mi stessero seguendo da Big Sur ma soffocai il pensiero. Era troppo inverosimile.

Gli occhi mi bruciavano. In gola avevo ogni sorta di sapore, la birra della notte e il pepe aggiunto alle uova alla rancheros e persino i lacrimogeni delle rivolte urbane, la torta di nozze di Kareen. Era tutto nella mia gola. Avevo ancora la pelle d'oca mentre rientravo nel bungalow e strappavo il lenzuolo dal corpo di Danilo.

"Che fai?" sussultò.

"Tu ora ti alzi," ordinai con una fermezza che stupì me stesso. "Fai una doccia. Se ne hai bisogno, ti spari la tua razione di pasticche," e gli lanciai il suo astuccio-scrigno, quello pieno di ogni sorta di tesoro chimico – paroxetina fluoxetina benzodiazepine e una varietà di neurolettici, tutti per la gioia dei suoi neurotrasmettitori.

Danilo sussultò di nuovo. Mi guardò con occhi spalancati.

"E poi," ripresi, "sali con me sulla monovolume che *tu* hai scelto e continuiamo verso est, verso il viaggio che *tu* hai voluto e in cui mi hai trascinato. Non sono arrivato fino a qui per tornare indietro. Hai capito? Ti è abbastanza chiaro, carissimo amico? Non mi hai trascinato fino a qui per farmi tornare indietro."

Lui non rispose. Pareva troppo stordito. Dissi con più dolcezza: "Vai a fare una doccia".

***

Più tardi, quando riuscimmo infine a partire, Danilo appariva quasi catatonico. Salutai dal finestrino il vecchio con gli stivali che ci guardava andare via. Eravamo gli ultimi clienti della sua stagione.

Avevo fatto una nuova provvista di bottiglie d'acqua. Ci immettemmo sulla strada e dapprima guidai piano, temendo di dare troppi scossoni al mio amico che giaceva pallido, inerte, sul sedile accanto. Poi accelerai. Accesi la radio e accelerai. Volevo arrivare il prima possibile dal famoso guaritore. Non sopportavo di vedere Danilo così.

III.

La ragazza nel deserto

Nella mia testa ha i contorni di un ricordo perfetto. I nostri pattini graffiano la lastra bianca. La pista sul ghiaccio dell'Idroscalo non era nulla di speciale, una grande lacrima di ghiaccio all'estremità di Milano, ma era stato memorabile averla tutta per noi quattro, una sera, da soli sotto i fari argentati.

Era successo dieci anni prima, una sera di freddo italiano e di incanto post-studentesco alcune settimane dopo la mia laurea.

Uno dei gestori era un paziente del padre di Kareen: grazie a questo era riuscita a organizzare il nostro ingresso extraorario. Lo aveva fatto per me. Era il suo regalo per la laurea.

Al tempo, anche lei e Cinzia stavano finendo con l'università. Danilo invece aveva mollato da un anno, si dedicava ai primi ingaggi nella scena della stand-up comedy italiana. Eravamo noi quattro. Una sera di febbraio, la pista solo per noi, i fiati che condensavano. In equilibrio sui pattini, sul ghiaccio quasi trasparente.

Caddi un paio di volte, e dopo avermi sfottuto un poco Danilo mi dette qualche dritta. "Sciogliti, sii fluido. Devi scivolare. Devi quasi volare."

Furono consigli utili, evitai altre cadute. Ma non era il mio stile sul ghiaccio a contare. Il vero regalo era vedere

Kareen pattinare: da ragazzina era stata una piccola campionessa. Volevo vederla pattinare.

La guardai ipnotizzato spingersi sulla pista, i capelli che uscivano dal berretto, sbuffi di fiato dalle labbra. Il sorriso rivelava il candore dei denti. Il corpo che si arcuava per eseguire una curva, tagliando l'aria con leggerezza di sogno. Particelle di ghiaccio schizzavano sotto le lame dei suoi pattini. Il movimento dei suoi fianchi e l'intero corpo in bilico, le gambe strette nei jeans.

Accelerammo insieme, tenendoci per mano, musica che arrivava da qualche parte.

Fu soltanto una sera dalle parti dell'Idroscalo, poche settimane dopo la mia laurea. È uno dei ricordi più perfetti che ho – nitido come le lame dei pattini che indossavamo.

Credo che Kareen non abbia mai più pattinato. Non finché stava con me, almeno.

***

Quattro mesi dopo la sera sul ghiaccio all'Idroscalo, mentre lavoravo per una società che sviluppava i contenuti di un portale, il primo di una catena accidentata di lavori, Kareen cadde in una crisi di intensità nuova.

Iniziò a perdere peso. Passava giornate a letto. Ricordo l'aria viziata della stanza, le sigle delle serie televisive che guardava senza sosta.

Suo padre mi chiamò per dirmi che bisognava fare qualcosa, infine ottenne un posto in una clinica specializzata.

La nostra vita diventò una variazione di chiaroscuri. Ricoveri ciclici, periodi di quasi normalità. Il suo sorriso straziante. Per un paio d'anni fece la volontaria alla lega antivivisezione, lavorò per una tivù regionale. Comparve delle volte in video, lei che andava a intervistare politici locali panzoni e loro che restavano interdetti, quasi imbarazzati dalla sua bellezza fragile.

Quindi la trasmissione chiuse. Il mondo è diventato qualcosa di così distante, mi diceva lei. Inafferrabile. Inaffrontabile.

Potevo convivere con i suoi soggiorni in clinica, l'importante era che tornasse ogni volta da me. Poterla stringere e respirare tra i suoi capelli.

La domenica, stavamo a letto a guardare puntate dei *Sopranos* e di *Six Feet Under*.

Fu parecchio più avanti, alcuni anni dopo, che un'ulteriore fase della sindrome depressiva segnò la scomparsa della sua libido.

Pensai di poter convivere anche con questo. Non ero forte abbastanza?

Incredibile con quanta facilità, con quanta banalità possa iniziare la fine di una storia. Stavo con la stessa donna da tredici anni quando cominciai a ritrovarmi davanti al computer, quasi sonnambulo, a guardare profili femminili sui siti di incontri.

Sui siti si trovava un catalogo minaccioso e insieme meraviglioso: facce, nomi, hobby, aspirazioni, brevi autopresentazioni in cui ognuna di quelle donne tentava di apparire più cose possibili – rassicurante sexy indipendente intellettuale spirituale provocante disinvolta. Non depressa. Nessuna di quelle donne appariva depressa. Se lo era, non lo avrebbe rivelato nel giro di un incontro o due, e poiché non cercavo una relazione ma uno sfogo veloce, a nessuna di loro avrei dato il tempo di rivelarmi i suoi fantasmi interiori.

Oltre ai siti c'erano i bar. C'erano le feste, le occasioni sociali legate al lavoro. Le toilette dei locali, dove una manciata di volte finii a fare sesso immediato, vorace, le natiche che sbattevano contro la porta fredda.

Come puoi farlo?, arricciava il naso Danilo quando gli accennavo ciò che mi stava accadendo. *Finché la tua donna ti aspetta a casa ammalata.*

A quel tempo, il mio amico stava iniziando a intuire che Cinzia ne aveva abbastanza di lui e credo si identificasse in Kareen, il membro depresso della coppia.

Pur avendo un computer intasato di filmati porno, il pensiero di tradire per davvero la sua compagna non lo aveva mai sfiorato. Magari, chissà, pensava che le mie colpe potessero ricadere sull'intero genere maschile. *Sei diventato una puttanella. Ti scopi la gente nei cessi dei bar.*

***

Non erano mai ragazze belle. Tutti quei corpi contro il mio, gli abbracci umidi.

L'odore oleoso dei preservativi, il mio sudore, il gusto salato sotto la curva dei loro seni. La vibrazione furtiva di un messaggio sul telefono.

Rientravo a casa e Kareen era sul letto o sul divano, stesa immobile o rannicchiata, davanti a un canale di previsioni meteo o a quello di notizie locali per cui aveva lavorato. Il suo volto pallido. Il più delle volte neppure mi salutava, troppo impegnata a sanguinare dalla sua ferita invisibile, primordiale – quella che le impediva di trattenere la gioia, la fiducia nel fatto di essere amata. E forse aveva ragione. Non era amata, non lo era più.

Era la regina triste di tutte le donne, colei che una volta sapeva danzare sul ghiaccio.

Io stavo lasciando troppi segnali e lei era depressa, ma non cieca.

Una sera trovai la casa vuota. Suo padre chiamò per dirmi che Kareen era in clinica e io non ero il benvenuto a farle visita.

Mi invitò ad andarmene nel giro di un paio di giorni e a lasciare le chiavi nella cassetta della posta. Poteva farlo, l'appartamento era suo. Non avrei mai immaginato una fine così gelida e brusca ma mi sentivo troppo in colpa per oppormi.

Finii in un monolocale semivuoto, appena un frigo scassato e un fornello e un lavandino.

All'inizio appariva tutto un equivoco, una bolla irreale: ogni cosa sarebbe presto tornata come prima – non poteva essere che un malinteso. Mi svegliavo in piena notte e faticavo a credere di essere io, questo. A dormire da solo in un sacco a pelo sopra un materasso sul pavimento.

In seguito fu Danilo a dirmi che Kareen stava meglio, e che stava addirittura vedendo qualcuno. Anche questo suonò inizialmente irreale. Possibile che staccarsi da me le avesse fatto così bene?

Per paradosso, adesso che ero libero, smisi un poco alla volta con le ragazze. La crisi economica aveva decimato le feste degli uffici stampa, io smisi di frequentare anche quelle che restavano. Smisi con i bar notturni pieni di gente in coca. Installai un programma che impediva al mio computer di accedere ai siti di incontri. Avevo creduto che le avventure veloci mi risparmiassero di intravedere i fantasmi interiori delle persone, ormai sapevo che era proprio quel tipo di avventura, invece, a spararmi in faccia il fantasma più grande. Come un flash abbagliante. Nessuno amava nessuno. Nessuno era fedele a nessuno, eravamo tutti pedine nella solitudine di qualcun altro.

Gli ultimi mesi a Milano furono un limbo.

Ricordo che una sera andai a pattinare all'Idroscalo, da solo, fra una folla di estranei e di ragazzini. I pattini mi stringevano i piedi, il ghiaccio scivoloso. Era questo l'equilibrio di un uomo? Essere in grado di stare in piedi da solo?

Avevo perso l'ultimo posto come addetto stampa, stavo finendo i risparmi e le proposte di lavoro che ricevevo erano vaghe, dai compensi altrettanto vaghi. Pareva che tutti avessero "progetti", idee creative, nuove imprese in testa, start up da avviare. Tutti aspettavano un finanziamento o l'approvazione di un consiglio direttivo oppure chissà. Quasi nulla di vero si muoveva. Nell'aria di Milano c'era puzza di smog e un crescente senso di claustrofobia.

Aveva ragione Kareen, il mondo era diventato una cosa opaca, inaffrontabile.

Nemmeno mi stupì la notizia che di lì ad alcuni mesi lei si sarebbe sposata, poco più di un anno dopo la nostra rottura. Lo stupore era abolito. Avevo chiamato mio fratello. Avevo stipato i miei vestiti in una valigia, avevo sorvolato mezza Europa e un oceano e gli interi Stati Uniti e mi ero rifugiato, stordito dal jetlag, nel glorioso silenzio delle colline di Big Sur.

***

Costeggiando Phoenix, la metropoli nel cuore secco dell'Arizona, l'effetto fu quello di un miraggio nel deserto.

Occhieggiammo in lontananza i sobborghi e le gru dei cantieri in corso e oltre, sotto il blu compatto, avvolto da una nube di calore che ne sfocava i contorni, lo skyline dei grattacieli del quartiere d'affari.

Era una città assediata dal deserto. E rispondeva all'assedio espandendosi, di anno in anno, strappando ettari al territorio polveroso.

All'incirca tre ore più tardi superammo lo svincolo per Oracle e fu il turno di Tucson, altro miraggio, altra città in lotta con il deserto.

Continuai a guidare, rapito dalla strada, alla radio i segnali intermittenti delle stazioni – un collage di voci e di ballate struggenti.

L'aria condizionata mi soffiava sul volto. Dietro un'area di servizio, un uomo giocava a golf da solo, su un terreno sabbioso senza cespugli, nella luce del tardo pomeriggio. Abbassai il vetro e mi lasciai carezzare dal vento asciutto.

Allungai un braccio e frugai sul sedile posteriore fino a trovare una bottiglia d'acqua. Bevvi un lungo sorso e la passai a Danilo.

Seppi che il mio amico si stava rianimando quando prese a trafficare con la radio, in cerca di musica che lo soddisfacesse. Sembrò guardarsi intorno come vedendo il panorama per la prima volta.

I saguari che si alzavano nella pianura ricordavano un esercito di totem. Sotto il sole la sabbia rivelava sfumature inattese, colori fantastici e quasi extraterrestri: le tracce dei minerali che un tempo avevano impreziosito il deserto, rame e argento e azzurrite. Lungo la strada, cartelli polverosi segnalavano i sentieri per qualche miniera abbandonata, passaggi di argilla battuta o piste di sabbia, piuttosto sconnesse, che non avrei affrontato volentieri con la nostra monovolume.

Altri cartelli segnalavano le vie per qualche casinò, per le riserve degli Apache e dei Tohono O'odham. Il popolo del deserto.

Avevamo attraversato il Mojave e il Sonora e stavamo sconfinando nel Chihuahuan. I tre deserti caldi nordamericani. Cos'altro si poteva fare, se non attraversare tutto il deserto che si trovava? Non potevo credere alla quantità di errori commessi nelle nostre vite. Per non farci soffocare da quegli errori, potevamo solo correre in avanti.

Svoltammo verso sud sulla 191. Oltrepassammo un'area di campi a irrigazione circolare, enormi cerchi verdi che immaginai avere, dall'alto, la forma di iridi umane puntate verso il cielo.

"Dovremmo quasi esserci," disse Danilo, le prime parole da quando avevamo lasciato il resort.

Guidammo un'altra ora nel deserto, incrociando non più di un paio di veicoli, la sagoma di un altopiano sulla nostra sinistra e alle sue spalle le alture delle Chiricahua Mountains. Sì, eravamo arrivati. Un cartello ci disse che avevamo raggiunto Elfrida.

**

Era poco più di un insediamento di costruzioni basse e baracche lungo la strada polverosa, cortiletti sabbiosi delimitati da travi di legno e ciuffi di yucca e roselline spinose qua e là. Un'auto d'epoca gialla era parcheggiata come segno distintivo davanti all'emporio locale. Elfrida, Arizona.

Pareva che la brezza del deserto potesse portare via l'intera cittadina ogni momento o seppellirla sotto un cumulo di sabbia.

Al tempo stesso c'era un'aria di incurante normalità nei fuoristrada e nei pick-up parcheggiati davanti alle case, nelle tende da sole che ondeggiavano pigramente e nei prezzi della benzina scritti su un cartello alla stazione di servizio. Era impossibile immaginare chi potesse scegliere di vivere in questo luogo – eppure a occhio e croce poteva essere una comunità di un migliaio di abitanti.

Chiesi a Danilo di indicarmi dove andare e lui esitò. "Ci sarà almeno una tavola calda. Cerchiamola," propose con tono evasivo.

Parcheggiammo di fronte a una specie di villetta biancastra, un paio di tavoli di plastica davanti.

L'insegna assicurava che si trattava di un bar e tavola calda. Si chiamava Traveller's Lair, anche se dubitavo passassero molti viaggiatori in zona. Al massimo potevano esserci quelli che venivano in cerca dello sciamano e di cui Danilo aveva trovato i racconti in rete. "Sarebbe qui il tuo uomo?" domandai.

"Grosso modo." Il suo tono non mi piaceva molto. "Secondo certe notizie dovrebbe essere accampato dalle parti di Elfrida."

"*Dalle parti?*"

"Uno sciamano del genere non è mica facile da trovare, cosa credevi. Se fosse facile, chissà quanta gente si riverserebbe qui. Ho letto il blog di certi tizi che dicono di aver ottenuto informazioni sul luogo preciso chiedendo qui in paese."

Iniziai a massaggiarmi una tempia. "Vuoi dirmi... Vuoi dirmi che fin dall'inizio ci siamo messi in viaggio senza sapere esattamente la meta?"

"Ah ah," fece lui con voce rauca, qualcosa tra una risatina e un colpo di tosse. La mia espressione indignata sembrava quel che ci voleva per riaccendere in lui una fiammella di umorismo. "Non è una fantastica avventura?"

"Fammi capire," dissi stordito. Respirai l'aria dal finestrino e un calore dal gusto di polvere mi scese nello stomaco. "Siamo arrivati fin qui e ora non sappiamo come proseguire. Due giorni di viaggio e in realtà neppure siamo sicuri se riusciremo a trovarlo."

"Guarda lì," disse indicandomi un pick-up parcheggiato accanto a noi, la fiancata decorata da motivi psichedelici. Disegni ad aerografo di fiori, funghi, cactus, intrecciati e dai colori acidi. "Vuoi che qualcuno con un mezzo del genere non sia qui in cerca di Anselmo? Possiamo seguire questo pick-up."

"Come no," sbottai esasperato. "Anzi, meglio, aspettiamo di vedere il coniglio bianco del Paese delle Meraviglie. Lo seguiamo tra i cespugli," dissi scendendo e sbattendo la portiera.

Non potevo crederci. Se evitai di mettermi a sbraitare contro il mio amico, fu perché era ancora convalescente dalla crisi della mattinata. La rabbia trattenuta a stento mi provocò un flusso di sudore, sentii le gocce scivolare lungo la schiena e la loro discesa calda mi lasciò con un senso di svuotamento, di spossatezza. Avevo guidato per varie ore nel deserto. Solo per ritrovarmi a chiedermi cosa diavolo ci facevo qui.

***

Appena varcammo la soglia del locale, metà della gente sollevò lo sguardo a studiare i due stranieri che erano entrati. L'altra metà ci ignorò. C'erano tre-quattro tavoli occupati, mi sembrò una folla per una cittadina del genere.

Regnava un fresco gradevole. Era meno squallido di quanto appariva da fuori. Uno stanzone con il banco del bar su un lato, i tavoli lungo le restanti pareti e un vecchio flipper presso l'entrata.

Prendemmo posto al banco, su sgabelli dalla seduta di velluto, demmo un'occhiata al menu e ordinammo birra ghiacciata e un'insalata di patate, fagioli e strisce di pollo fritto. "Non dovresti bere birra," dissi a Danilo. "Non con tutta la roba che stai continuando a prendere."

Lui non sembrò sentirmi. "Dobbiamo trovare informazioni," disse agitandosi sullo sgabello, elettrizzato, la faccia stanca e lo sguardo più febbrile che mai.

Compresi ciò che stava facendo. Stava usando il senso di avventura per traghettarsi fuori dalla palude della crisi depressiva. Peccato che l'avventura coinvolgesse anche me. "Non posso crederci di averti seguito fino in questo buco di culo," riflettei.

"Sei tu che hai voluto proseguire," ghignò lui. "Ci siamo

seguiti a vicenda. Stamattina ero davvero sul punto di mollare... E tu hai voluto andare avanti. In effetti te l'avevo detto, all'inizio, che avrei avuto bisogno del tuo aiuto."

"Il mio aiuto," sospirai con disincanto. "Quando mai ho saputo aiutare qualcuno." Bevvi un sorso e il vetro della bottiglia cozzò leggermente contro i miei denti. La schiuma della birra lavò il sapore della strada, del vento caldo e dell'aria condizionata. "Ti ho convinto a proseguire perché credevo che sapessi dove trovare il tuo sciamano."

"Ecco i vostri piatti," annunciò la cameriera da dietro il banco.

Ci fu un attimo sospeso. La cameriera era una ragazza dagli zigomi alti, portava una camicia da uomo fuori dai pantaloni. Passò lo sguardo da me al mio amico e poi di nuovo a me, quindi si allontanò.

Danilo tuffò la faccia verso il piatto, non aveva mangiato tutto il giorno. L'insalata aveva del piccante ed era servita con pane scaldato sulla griglia.

Mangiando, osservai le foto appese alla parete oltre il banco. Alcune erano scattate dentro la tavola calda, ritratti di clienti e del personale. Altre all'aperto, persone che sorridevano in posa tra i saguari, gente riunita intorno a un barbecue, panorami e tramonti sul deserto. Un paio di cieli incredibilmente stellati, la foto di un edificio che pareva un osservatorio astronomico.

Altre ritraevano la ragazza che ci aveva serviti. Appariva bene in foto quanto dal vivo. Poteva avere sui venticinque anni, gli zigomi pronunciati e i capelli molto neri, lucenti. Razza indefinita, forse sangue indiano.

Anche Danilo stava osservando le foto e quando la ragazza fu di nuovo nelle vicinanze, la chiamò. "Questa insalata," disse. "De-li-zio-sa."

Lei rispose con un sorriso vago. Alle nostre spalle, il flipper all'entrata emetteva a intervalli un richiamo elettronico, quasi a lamentare di essere solo.

"Stiamo cercando uno sciamano," le disse Danilo. "Si chiama Anselmo."

"Non si dice *sciamano*."

"Eh?"

"*Sciamano* è una parola inesatta per i nativi americani. Sarà piuttosto un guaritore."

"Guaritore," concesse Danilo. Si raddrizzò sullo sgabello e sfoderò il suo sorriso più sapiente. "Dunque sai dove potremmo trovarlo?"

Ci studiò. Gli occhi erano di una sfumatura di grigio scuro.

Notai che aveva un tatuaggio, tra la gola e la zona del cuore, ma spuntava appena dal collo della camicia e non capivo cosa raffigurasse.

Scosse la testa. "Dell'altro pane?" si limitò a domandare.

"Andiamo..." insistette Danilo. "Non siamo turisti qualsiasi. Abbiamo bisogno di trovare quell'uomo."

Restò a squadrarci fino a quando un guizzo divertito le attraversò lo sguardo. "Se non siete turisti qualsiasi, sarete capaci di trovarlo da soli."

"Ehi. Nessuna pietà per due poveri italiani depressi?"

"Io non sono depresso," sibilai.

"C'è già stato un altro viaggiatore a chiedere informazioni oggi," comunicò lei.

"Capisco," rifletté Danilo socchiudendo gli occhi. "Non vuoi dare informazioni a troppa gente. Pare che quello della guarigione sia un club con molti aspiranti."

"Pare."

"Ma noi potremmo convincere il buttafuori all'entrata, ah ah."

La ragazza si sporse un poco sopra il banco, verso Danilo. Sbirciai nel collo della camicia, il tatuaggio raffigurava una stella marina. "L'ironia è un'arma spuntata," sussurrò, e c'era una pace limpida nella sua espressione. "Prima o dopo incontri qualcuno che ne ha più di te."

Il sorriso di Danilo si incrinò. La sua faccia si irrigidì, per un istante, come avesse appena ingoiato un moscerino.

Qualcuno chiamò la ragazza e Aylen, così sembrava il suo nome, ci lasciò per l'altra estremità del banco, dove troneggiava un registratore di cassa.

"L'avevo quasi convinta," sospirò Danilo accasciandosi sullo sgabello.

"Ah sì?"

"Devo scaricare un goccio d'acqua," disse infine, e batté in ritirata in direzione del bagno.

Rimasto solo, mi guardai intorno. Un uomo con una tuta da lavoro aveva iniziato una partita al flipper. Osservai il pavimento a scacchi bianchi e rossi, lo sgabello accanto al mio, il massiccio banco di legno.

Osservai ogni cosa con una traccia di stupore. Ero io, ero qui. I suoni del flipper, la gente ai tavoli, il vago fastidio ai denti su cui aveva cozzato la bottiglia di birra.

Ritrovai lo sguardo di Aylen e lo stupore aumentò. Stupore. Com'era strano ricordare cos'era. Quel piccolo fremito interno di fronte alle cose, di fronte alle persone.

"Del caffè?" offrì.

"Perché no."

Il caffè era nero, non troppo annacquato.

"Se avete bisogno di un posto," disse lei, "sul retro abbiamo un paio di camere. Prezzo ragionevole."

"D'accordo." Soffiai sul mio caffè. "Avrei una domanda. Non riguarda il guaritore."

"Sentiamo."

"Che ci fa una stella marina in mezzo al deserto?" Mi pentii subito di una domanda tanto stupida.

Quando realizzò cosa intendevo, si limitò a scuotere i capelli e ad accennare una risata. La maggior parte delle persone si sarebbe automaticamente controllata il collo della camicia. "Dicono che da queste parti una volta arrivasse il mare."

Prese la caraffa del caffè e rabboccò la mia tazza.

La conversazione fu interrotta dal ritorno di un Danilo più affannato che mai. "Guarda," quasi gridò.

Indicò fuori, oltre la vetrata, nel miniparcheggio davanti al locale.

"Beh?"

"Il pick-up psichedelico se ne sta andando." Con frenesia, estrasse un paio di banconote e le depose sul banco.

"Lasciami almeno finire il caffè. E tu non hai neppure finito la cena."

"Se ne sta andando," ripeté. L'energia vitale sembrava tornata in lui come il flusso di una marea impazzita. Era una furia, mi prese un braccio e mi trascinò fuori. Nel giro di pochi secondi eravamo sull'auto.

"È quasi il tramonto," osservai.

"Tieni d'occhio dove sta andando il pick-up," disse mettendo in moto e iniziando a manovrare.

"Magari sarebbe meglio dormire qui e cominciare la ricerca di Anselmo domattina."

"Che stai dicendo?"

"È quasi notte, siamo in un posto sconosciuto e non abbiamo idea di dove stia andando quel mezzo."

"È ovvio dove sta andando. Non hai sentito la tua amica, dentro? Chi vuoi che fosse l'altro viaggiatore di cui parlava? Dev'essere il tizio sul pick-up."

Ingranò la marcia. Un istante prima che sgommassimo via, guardai la facciata del Traveller's Lair e attraverso il vetro ritrovai gli occhi di Aylen. Fu un flash. Forse lo immaginai.

Un frammento di sensazione nella frenesia della partenza. I suoi occhi come due perfetti magneti. Sembrava guardarci un poco preoccupata.

***

Attraversammo la cittadina. Al nostro fianco, l'altopiano senza nome e il profilo delle Chiricahua Mountains. Dall'altro lato il sole stava scendendo e spandeva in mezzo cielo un colore di ruggine.

Il pick-up che seguivamo alzava una coda di polvere. Viaggiava verso sud, veloce, in direzione del confine. "E se va in Messico?"

"Non va in Messico. Vedrai che va da Anselmo. È venerdì sera."

"Dunque?"

"I tizi in rete dicevano che nei fine settimana la gente viene a cercare Anselmo. Gente delle città."

Mentre il cielo scuriva, superammo un'altra area di campi a irrigazione circolare. Il loro verde contrastava in modo crudele con la polvere che regnava intorno.

Il pick-up svoltò per una stretta strada di argilla battuta. Era il deserto più vero, più aspro e remoto che avessimo attraversato finora, lontano dalle autostrade e dalle stazioni di servizio e dai villaggi western per turisti o dalle colonie di artisti come Tubac o Bisbee.

Per un attimo, l'intensità di ciò che vedevo sembrò in grado di urlarmi qualcosa. Rocce e spine e distese di ocotillo. Sul bordo della strada, macchie di gigli del deserto si scuotevano al nostro passaggio, i fiori bianchi sul punto di chiudersi per il tramonto.

Il pick-up imboccò una pista sterrata. Adesso mi sentivo

preoccupato sul serio. "La nostra macchina non è fatta per il fuori strada."

"Se ce la fa lui, ce la facciamo anche noi."

Dopo un paio di chilometri il mezzo che seguivamo svoltò per un'altra pista, quindi un'altra, ogni pista più accidentata della precedente. Nessuna traccia umana in vista. Soltanto, là in fondo, nella luce ormai bassa, si iniziarono a distinguere le sagome di... Dei cumuli di... Il pick-up si arrestò sul bordo di quella che era, inequivocabile, una discarica abusiva.

Sagome di macchine semibruciate e cumuli di spazzatura. Riconobbi la figura di un frigo abbandonato, lo sportello aperto, incrostato dal vento sabbioso.

Ci fermammo dietro al pick-up e la luce rossa dei suoi fanali si rifletté sui nostri volti. Credo fossimo in un leggero stato di shock.

Il tizio che scese dal veicolo non aveva un'espressione amichevole, portava un cappello da cowboy sopra una testa in apparenza calva. E teneva un fucile sotto braccio. Un vero e proprio fucile.

Malgrado la decorazione del suo pick-up, non aveva un aspetto molto hippy.

Si accostò al finestrino dalla parte di Danilo e sputò con un accento ispanico: "Si può sapere che diavolo volete?".

"Ehm..." fece Danilo. Stringeva il volante così forte da far sbiancare le nocche. "Anselmo. Cerchiamo informazioni su dove trovare Anselmo. Pensavamo che lei potesse aiutarci."

Il tizio squadrò il mio amico come chiedendosi se fosse deficiente. Squadrò me e sembrò farsi la stessa domanda. Dovette decidere che eravamo inoffensivi, perché parve rilassarsi, fece un passo indietro e abbassò il fucile fin quasi a fargli sfiorare la sabbia.

"È un guaritore tradizionale," fiatò Danilo. "Sappiamo che dovrebbe essere da queste parti."

"Non so niente dell'uomo che cercate. Andate via." Tornò al suo pick-up, dove gettò il fucile nel cassone, sciolse i ganci di un telo e scoprì un vecchio televisore malandato. Molto semplice. Ecco il motivo della sua venuta in questo posto.

Facemmo retromarcia. Appena la pista si allargò di mezzo metro, ci girammo. Stavamo tornando indietro. Senza parlare, non c'era molto da dire.

Non era solo la delusione per non aver trovato Anselmo. L'immagine della discarica che si allungava nel deserto, una striscia di rifiuti umani nella purezza del tramonto, doleva in noi come un livido. Quel frigo spalancato come una bocca sdentata.

Si era fatto buio e i nostri fari carezzavano la sabbia e i cespugli.

I dislivelli della pista mi sballottavano sul sedile. Continuava a sembrarmi così strano, così incredibile essere qui. In un posto fatto di contrasti tanto violenti. E così radicalmente lontano.

Lontano dalla sicurezza della roulotte a Big Sur, dalle frittelle di tofu e dai salmi del mattino. Ancora più lontano dall'Italia, dai treni sporchi della metro di Milano e dai taxi bianchi sulle sue strade. Dai caffè espresso e dagli aperitivi nei bar e dai tigì serali della Rai, dalle cartelle dei debiti con Equitalia e dal ronzio del mio computer sovraccarico di dati. Davvero quella era stata la mia vita? Lontano, così lontano: mi girava la testa come al termine di un salto mortale e sapevo che nel corso di quel salto, in tutto ciò che vorticava alle mie spalle, qualcosa era andato storto. Rividi la discarica nel deserto. Qualcosa era andato orribilmente storto e valeva per me, per il mio amico e per l'intera umanità.

Mi guardai intorno e la mia era una vertigine di stupore, sì, ma c'era ormai anche un principio di panico. "Abbiamo sbagliato strada," dissi dopo che Danilo ebbe svoltato un paio di volte. "Non siamo arrivati da questa pista."

"Eh?" si scosse Danilo. "Ti sbagli, siamo arrivati da qui." Svoltò di nuovo e ciò che si intuiva oltre il fascio dei fari era una distesa di polvere, di cespugli spettrali. All'improvviso fu chiaro anche a lui. "Merda. Come si torna sulla strada asfaltata?"

***

Ci fermammo con il motore acceso, i fari puntati in avanti. Danilo provò a localizzare la nostra posizione con il telefono: "Merda," ripeté. Guardò il telefono che teneva in mano come si fosse trasformato in una piccola creatura aliena. "Non c'è ricezione. Siamo isolati."

"Proviamo a spostarci," dissi.

Mi allungò il telefono e riprese ad avanzare sul terreno scosceso, mentre io controllavo se la ricezione tornava. Nessun segnale. Non mi trattenni: "Tu e il tuo cavolo di telefono. Te l'avevo detto che dovevamo restare in paese".

"*Te l'avevo detto che dovevamo restare in paese*," mi fece il verso. "Fanculo, amico. Volevi restare soltanto per flirtare con la cameriera."

Ci fu uno scossone, la pista si stava facendo impraticabile. "Se restiamo impiantati nella sabbia siamo finiti," dissi. Una calma innaturale mi seccò la gola. "Ci conviene fermarci."

"Eh?"

"Fermiamoci e aspettiamo che torni la luce." Per convincerlo, gli ricordai la storia dei due turisti morti nel Mojave.

Se n'era parlato la sera prima, mentre facevamo il bagno con Harry e le ragazze.

Era una storia triste. Di recente, c'era stato il caso di due turisti europei che si erano spinti nel deserto alla ricerca di un particolare joshua tree – quello immortalato nelle foto di copertina di un vecchio album degli U2. Non lo avevano mai raggiunto. Erano rimasti intrappolati sulla pista di sabbia ed erano morti per un colpo di calore. Li avevano trovati giorni dopo, gonfi e secchi come frutta lasciata al sole.

"È notte," obiettò lui. "Semmai nel nostro caso moriamo di freddo."

"Domani torna il sole e se siamo intrappolati non sarà piacevole. Saremo in balìa del deserto. Non avremo speranza. Fermiamoci e riprendiamo con la luce dell'alba, sarà più facile affrontare la pista."

Danilo non smise di avanzare.

"Dimmi almeno una cosa," invocai allora. Mi aggrappai al cruscotto come fossimo sulla curva più alta di una montagna russa. "Esiste questo sciamano, questo guaritore?"

"Che domanda è?"

Gli dissi che iniziavo a pensare fosse solo una leggenda. Il guaritore capace di guarire la depressione, di medicare le anime più danneggiate: mi sembrava ormai una storia del deserto. Come il tesoro del galeone arenato nel Mojave, le miniere abbandonate ancora piene d'oro o i serial killer in attesa di vittime nelle stazioni di servizio. Una leggenda. Se Anselmo fosse esistito, non avremmo dovuto averlo già trovato?

"Non dire cose del genere," gemette. Stava di nuovo stringendo il volante fino a sbiancare le nocche. "Neppure per scherzo. Non può essere una leggenda. Quell'uomo è la mia ultima speranza."

Ci rinunciai, mi abbandonai contro il sedile. Eravamo

persino privi di una bussola, non potevo credere fossimo stati così sprovveduti.

Forse stavamo continuando verso sud, verso il confine. Dove gli immigrati illegali attraversavano il deserto in sandali di plastica e i trafficanti sui fuoristrada trasportavano carichi di armi e di narcotici. Forse saremmo finiti in pasto ai coyote. Forse dovevamo proprio fermarci.

Ci pensò la strada a convincere Danilo: un dislivello improvviso gli fece perdere il controllo del mezzo. Finimmo contro un masso.

Non era stato un urto violento. Ma quando Danilo rimise in movimento la macchina ci accorgemmo che il faro sulla parte sinistra del muso, quella coinvolta dall'urto, era andato.

Il freddo notturno entrava a fiotti dal finestrino. Perduti in piena notte e con un solo faro. "Va bene," disse Danilo. "Accampiamoci."

**

Il fuoco scoppiettava. Piccole scintille salivano disegnando traiettorie irregolari e intrecciate.

Eravamo riusciti ad avviarlo dopo aver raccolto, nella luce del faro superstite, una quantità di legni e ramaglia dai cespugli. Quindi avevamo montato la tenda rimasta finora nel bagagliaio, quella che Rudi ci aveva fornito per ogni evenienza.

Avevamo con noi bottiglie d'acqua. Purtroppo niente cibo.

"Cosa darei per una fetta di pizza. Oppure un hot dog," rimuginò Danilo gettando sul fuoco un paio di rami. "Avanti," mi sfidò.

"Avanti cosa?"

"Che aspetti a uscirtene con uno dei tuoi *te l'avevo detto*?"

Scivolai più vicino al calore delle fiamme. Le scintille brillavano sospese, prima di spegnersi nell'aria, simili a minuscoli razzi di segnalazione. "Magari qualche ranger vedrà il fuoco," dissi soltanto.

"Un panino al formaggio e prosciutto. Degli involtini primavera," continuò Danilo.

Sedevamo a gambe incrociate, avvolti entrambi in felpe pesanti. Il fumo del fuoco mi faceva lacrimare gli occhi.

A un tratto lui si scosse. "Aspetta," disse, si alzò e raggiunse la macchina. Quando tornò, reggeva un barattolo di vetro in mano. "Sapevo che prenderle era stata una buona mossa."

Erano le pesche sotto spirito che ci aveva dato Martin. Ne mangiai un paio, afferrandole dal barattolo con le dita. Erano dolci, liquorose. Anche se sapevo che l'avrebbero mezzo ubriacato, lasciai al mio amico il resto – aveva mangiato meno di me durante la giornata.

Il fuoco liberava gli aromi più intimi del legno e nell'aria c'era la resina dei cespugli di creosoto, inumiditi dal manto della notte. Tutto intorno si intuivano le macchie di vegetazione immerse nel sollievo di essere liberate, per qualche ora, dalla morsa del sole.

Le fiamme si agitavano lente, quasi a tempo con il respiro impercettibile del deserto, e di nuovo quella sensazione che la distesa circostante, i cespugli sparsi, il cielo, il silenzio sabbioso, fossero sul punto di gridarmi qualcosa. Ogni cosa aspettava di parlarmi. Un messaggio era sparso tutto intorno. Era questo che sentivano i mistici antichi, i padri del deserto, tutti quelli che nei secoli, nei millenni, erano venuti in posti come questo?

Ma ero troppo inquietato dal nostro esserci persi. Se solo fossimo rimasti al Traveller's Lair. Pensai alla tazza di caffè che avevo stretto tra le mani, alla ragazza con una stella marina sulla pelle. "Danilo."

"Che c'è?" Riconobbi nella sua voce mezza ubriaca il mio stesso misto di incanto e di spavento. Il fuoco smise di scoppiettare per alcuni istanti.

"Nulla," rinunciai. Ci pensai un altro poco. Era difficile trovare le parole. "Mi chiedo cosa sarà di noi. Nel futuro, intendo."

"Amico," tossì Danilo. "Ti sembro la persona a cui fare domande del genere?"

Mise a bruciare altri rami e il calore ci arrivò sulla faccia a ondate. Ironizzò: "Niente di meglio di un fuoco da campo per stimolare le conversazioni virili e filosofiche, ah ah".

"Hai ragione," ammisi. Il fumo continuava a ferirmi gli occhi. "Lascia stare."

Lui fissò le fiamme. "Per quanto mi riguarda, voglio che quello sciamano mi faccia bollire il cervello."

Trasalii. Lo lasciai continuare.

"Voglio svenire con la schiuma alla bocca, voglio svegliarmi il giorno dopo ed essere un altro uomo. Più forte, migliore." Danilo si stese a terra, sulla schiena, le mani dietro la nuca. "Senza le paranoie, la pesantezza, senza la miseria che mi zavorra dai tempi delle scuole medie. Disturbo bipolare o depressione del cazzo. I medici non sono nemmeno mai riusciti a formulare una diagnosi definitiva. E poi tornerò alla mia vita e la farò girare come voglio io. Ecco cosa sarà di me."

"Beh," dissi dubbioso.

"Se ci è riuscita la tua ex ragazza a guarire, perché non io?"

"Kareen non si è fatta, ehm, *bollire il cervello* da uno sciamano." Mi stesi a mia volta. Là in alto, una luna quasi piena spandeva un alone lattiginoso. "Si è limitata a liberarsi di me," riflettei amaramente.

98

"Promettimi una cosa," incalzò lui. "Promettimi che resterai con me nella ricerca di Anselmo."

"Eh?"

"Quella graziosa camerierina. Promettimi che non mi molli per stare dietro a lei."

"Ma va'," protestai. "Sarà una fortuna se usciamo vivi da questo deserto. Non credo neppure la rivedremo mai più."

Il cielo era una mappa dettagliata. Guardai il brulicare di costellazioni come realizzando per la prima volta il loro numero prodigioso. Le nostre voci sfumarono, il sussurro del vento scuoteva il fuoco. I nostri due respiri e l'ululare distante di un animale. Ci ritirammo dentro la tenda e non parlammo. Era una notte che andava oltre le parole. Restammo svegli ad aspettare il sonno e a respirare, nella notte sconosciuta.

***

Non ricordo cosa sognai. Attraverso la base della tenda avvertivo il suolo duro del deserto. Mi pareva di essere sveglio e al tempo stesso in un sonno cavernoso.

Il fruscio della brezza contro la tenda. La nostra spedizione senza bussola. Le copertine dei vecchi dischi e i nostri ricordi in equilibrio sul ghiaccio e le vertigini dell'economia tardocapitalista e il fantasma di Anselmo che pareva spirare, ineffabile, beffardo, in compagnia della brezza.

Il respiro di Danilo aveva riempito lo spazio della piccola tenda di un sentore alcolico.

Devo dirgli di smetterla con farmaci e alcol, pensai tra me in qualche angolo di coscienza. O almeno ho il ricordo di averlo pensato. Due uomini con la barba di un paio di giorni, le palpebre strette per la tensione dei sogni.

Mi contorsi nel sonno, imbacuccato nella felpa. Sapevo di cos'era convinto Danilo. Pensava che la sua fosse tutta una colpa privata.

Sì, pensava di essere stato licenziato per un qualche difetto interiore e che ci fosse modo di guarire il difetto per poi tornare trionfante alla vita di prima. La vita di prima. Lo stesso lavoro e la stessa gente che lo avevano sfruttato fino al midollo per poi farlo fuori.

Avevano compresso i costi, privilegiato qualche cabarettista banale da quattro soldi. Era la storia di un mondo intero, questa. Comprimere i costi e privilegiare qualcuno meno complicato di te.

Un qualche insetto del deserto aveva preso a frinire là fuori. Mi chiesi come poteva un uomo amare se stesso, in un sistema che lo usava e sostituiva alla prima occasione. In un'epoca che non lo amava e lo disprezzava, come poteva un essere umano apprezzarsi?

No, decisi. Io non sarei tornato. L'invio dei curricula e le risposte che non giungevano e le attese negli uffici delle agenzie. I colloqui con direttori del personale dallo sguardo freddo oppure persino più spossato del mio. L'idea di ricominciare con tutto questo mi provocava una fitta di panico. No, non sarei tornato indietro. Allora dove sarei finito?

Il frinire ci accompagnò oltre il centro della notte, ritmando i sogni e i pensieri e calmandoli poco a poco, facendoli sfumare. Ci lasciò immobili a dormire fino a quando, furtivo, un occhio di luce iniziò a penetrare nella tenda.

***

Uscii per fare un goccio d'acqua e il sollievo di svuotare la vescica si accompagnò a quello di riconoscere, laggiù all'orizzonte, il rilievo ormai familiare dell'altopiano senza nome.

Respirai a fondo, trattenni l'aria e la lasciai andare con dolorosa lentezza.

Grazie a quel punto di riferimento saremmo riusciti a ritrovare la strada per Elfrida. Svegliai Danilo e smontai la tenda. Meglio mettersi in moto prima che il sole iniziasse a scottare.

Lui si aggirò con andatura da zombie, sbattendo le palpebre nella luce pollinosa del mattino. "Visto?" fece con voce impastata. "Stavamo andando nella giusta direzione ieri sera. L'altopiano è da quella parte."

"Tu che hai le mani libere," tagliai corto ripiegando la tenda. "Raccogli quello." Accanto ai resti del fuoco giaceva il barattolo delle pesche vuoto.

Lo sentii grugnire di malumore. Fece per chinarsi, poi di colpo... "Aaargh!" gridò.

Seguii il suo sguardo e sussultai. C'era qualcosa di vivo e nero nel barattolo.

Era un grosso scorpione. Restammo paralizzati tutti e tre, noi e l'animale.

Ci studiò alcuni istanti attraverso la protezione del vetro, prima di sfilarsi dal barattolo e zampettare, senza suono, verso il riparo di un masso.

"Merda," disse Danilo. "Prima il tizio col fucile. Ora lo scorpione."

"Già. Mio caro, grazie per questa rassicurante notte nel deserto."

"Oh, fanculo. Non ci eravamo affatto persi," insistette lui.

Salimmo sull'auto. L'intero paesaggio pareva osservarci. Era difficile evitare l'idea che dietro ogni cespuglio, dietro ogni masso ci fosse uno scorpione, una tartaruga, un rettile, una qualche razza di animale impegnato a spiarci, a custodire il segreto sfuggente del deserto.

Procedemmo lungo le piste aride per mezz'ora. Sotto il crescere del sole, l'orizzonte di sabbia e di rocce si faceva più definito, inesorabile come un'antica promessa. Strano, riflettei. Una parte di me continuava a chiedersi che ci facevo lì. L'altra parte iniziava a pensare che non avrei potuto essere in alcun altro posto.

Danilo mi lanciò un'occhiata, si scostò i capelli appiccicati alla fronte. "Senti. Facciamo un po' di piani per la giornata."

"Pensa," non resistetti. "Qualcuno sta cercando di riprendere in pugno la situazione."

"Piani per la giornata," ripeté lui. "Io mi occupo di recuperare altre informazioni su Anselmo, tu chiedi alla tua amica del Traveller's Lair dove possiamo farci riparare il faro. Sento che stasera è la sera. Qualunque cosa succeda, troveremo il vecchio guaritore."

Annuii. Sì, era stasera oppure mai più.

Ci arrampicammo per una breve salita e capimmo di essere salvi, almeno per il momento. Avevamo ritrovato la strada asfaltata. Mentre ripartivamo in direzione del paese, Danilo emise una risatina e si portò una mano al cuore. "Cavolo, quella bestia dentro il barattolo. Mi ha fatto prendere un colpo."

***

Il Traveller's Lair aveva appena aperto. Dietro il banco c'era una cameriera diversa dalla sera prima, una signora di taglia abbondante, capelli corti e cotonati, un paio di occhialetti sul naso. Il caffè gorgogliava nella caraffa di vetro.

Alla radio, un dj dalla parlantina svelta dava il buongiorno agli ascoltatori dell'Arizona sudorientale.

Sedemmo a un tavolo, storditi. Erano passate all'incirca

quattordici ore da quando eravamo corsi via da qui, una lunga notte nel deserto. Ed eccoci di nuovo. Allungai le braccia sul piano graffiato del tavolo.

La cameriera ci raggiunse ciabattando. "Buongiorno dolcezze." Poggiò la caraffa del caffè sul bordo del tavolo e noi la guardammo sognanti, quasi atterriti. "Siete i primi clienti della giornata e io ho già male ai piedi."

"Mi dispiace," risposi guardandomi intorno.

"Dev'essere la luna. Ho i piedi mannari, si risvegliano nei periodi di luna piena."

"Aylen non lavora oggi?"

"Amici di Aylen?" fece versando il caffè. Ci rivolse uno sguardo attraverso gli occhialetti.

Ci informò che Aylen aveva il giorno libero. A volte passava a salutare anche se non era di turno – ma nessuna idea di quando sarebbe accaduto. La cameriera con il mal di piedi confermò inoltre che sì, dietro il locale c'erano delle stanze disponibili. E no, non sapeva un accidente di guaritori e faccende simili. Alzò gli occhi al cielo. Per quelle cose dovevamo chiedere ad Aylen.

Fu una colazione abbondante, uova strapazzate e pancake e pane tostato. Altri clienti erano entrati, riconobbi un paio di facce dalla sera prima. Il dj alla radio accennò le previsioni del tempo, cielo terso per le prossime quarantotto ore, temperature più alte della media durante il giorno, più basse la notte. Ricordò gli anniversari della giornata e quelli della morte di personaggi famosi, Lenny Bruce, Carolyn Jones, Arthur Lee.

Danilo si bloccò e lasciò andare una lacrima dal nulla. La lacrima gli attraversò la guancia, si tuffò nella tazza che lui teneva in mano. Un cerchio concentrico si allargò sulla superficie del caffè.

"Che c'è adesso?"

"Non hai sentito?" chiese, quasi scandalizzato di non vedermi commosso a mia volta. "Lenny Bruce."

Era un grande comico del passato, uno degli eroi di Danilo. "Ma è morto prima che noi nascessimo," osservai. "E fino a un minuto fa neppure ricordavi fosse il suo anniversario."

"Non capisci, amico." Scosse la testa. "Il punto non è l'anniversario. Parlando di Lenny, questo dj mi sta ricordando che io non sarò mai altrettanto bravo. E neppure altrettanto rimpianto."

"Sei malato," dissi.

"Felice che te ne sei accorto." Gocciolò un altro paio di lacrime nella tazza.

Era un mattino fatto così. Il mondo intero era sul punto di spezzarsi in due, inondarci di amore o pena infinita. Era questa la cosa che chiamavamo realtà, una collezione di dettagli ipnotici e dilatati, schizzi di caffè a macchiare il tavolo, luce aggressiva contro il vetro della tavola calda, un frattale di sensazioni dentro le sensazioni.

Danilo usò il tovagliolo per asciugarsi la faccia, concluse con la sua tipica risatina rauca. Ridacchiava di se stesso, della mia ansia visibile di rivedere Aylen, delle ciabatte bianco sporco della cameriera?

Si alzò, voleva andare a prendere possesso della stanza. Io rimasi ad aspettare e a sorseggiare caffè.

***

Era ormai pomeriggio quando, stanco di bighellonare alla tavola calda, mi rassegnai all'idea che Aylen non si sarebbe fatta vedere.

Raggiunsi la stanza. Vi si accedeva da una scala di metallo dai gradini arrugginiti, sul retro dell'edificio.

Dentro, pareti foderate di legno. Un paio di brande con dei materassi puliti, un armadio squadrato e poco altro. Delle veneziane di plastica verdina tenevano fuori il riflesso del sole ma non il calore. A differenza che nella tavola calda non c'era aria condizionata, solo un ventilatore sul soffitto che Danilo aveva lasciato acceso, prima di sparire chissà dove.

Mi stesi su una delle brande. Sulla lingua avevo il gusto dei troppi caffè bevuti e della delusione per non aver visto Aylen.

Perché contava tanto rivederla? Una ragazza con cui avevo scambiato a malapena una dozzina di frasi. Provai a visualizzare i suoi occhi grigi, gli zigomi alti e la seta nera dei capelli, ma inevitabilmente il suo viso sfumò in quello di Kareen.

Cinque minuti e sarei dovuto tornare fuori, a cercare una soluzione per il faro dell'auto.

Quando riaprii gli occhi, il ventilatore sopra di me era spento. Avevo dormito e Danilo doveva essere passato nel frattempo.

Sollevai la testa, sbattei le palpebre. Cosa diavolo... Deglutii davanti a ciò che vedevo. C'era del sangue sul pavimento. Mi alzai traballante, il cuore che pompava in gola e nelle tempie.

Il sangue era recente, di un rosso vivido, inguardabile. Camminai facendo attenzione a non calpestarlo, incapace di articolare pensieri. Solo le tempie che pulsavano e un panico che saliva a ondate dallo stomaco.

Le chiazze formavano una traccia, attraversavano la stanza fino alla porta, sotto cui correva una fessura di luce intensa. In qualche modo sapevo a chi apparteneva il sangue. Spalancai la bocca, non uscirono suoni. Ero sul punto di vomitare.

Ogni minima parte di me voleva ritirarsi da quella scena, andarsene via in un luogo lontano.

Avanzai. Aprii la porta. Danilo era in piedi, sangue dal naso e dalla bocca e sulla camicia. Gli scendeva lungo le braccia e gocciolava dalle dita. Scossi la testa, non trovavo le parole, non trovavo il fiato. Tutto questo sangue. Tutto questo male.

Forse gridai, e fu il mio stesso grido a svegliarmi e a farmi ritrovare sulla branda, ansante, bagnato di sudore. Misi a fuoco la realtà. Il ventilatore stava girando. Il caldo era insopportabile.

Persino con le veneziane abbassate il tramonto entrava nella stanza e la riempiva di un riflesso rugginoso. Nessuna traccia di sangue. Il letto, le mie scarpe sul pavimento, la borsa e i vestiti di Danilo sparsi sull'altro letto: immersi in quella luce ruggine, gli oggetti parevano antichi reperti appena estratti dalla sabbia del deserto.

Mi alzai con un capogiro, in preda all'angoscia. Il mio amico. Dov'era il mio amico?

Stavo per precipitarmi fuori, mi accorsi di un foglio infilato sotto la porta. Era piegato in due. Lo raccolsi: pareva una mappa, non compresi. Per il momento era inutile, non serviva a ritrovare il mio amico.

Spalancai la porta e corsi giù dalla scala, i gradini duri sotto i piedi nudi.

Feci il giro dell'edificio e corsi verso l'entrata della tavola calda e quasi mi scontrai con qualcuno. Era Danilo. Lo guardai mezzo secondo per accertarmi che stesse bene, poi lo abbracciai e lo tenni stretto.

"Wow," fece lui. "Venire abbracciato da un uomo che corre in giro senza scarpe come un matto. Posso dire che non aspettavo altro."

"Ho avuto un incubo..." mormorai. Nessun sogno mi

aveva mai riempito di un'angoscia del genere. Mentre cercavo le parole, mi accorsi che stringevo in mano il foglio trovato sotto la porta.

Le costruzioni basse ai lati della strada riflettevano il tramonto color ruggine, la striscia di asfalto faceva altrettanto. Fu in quella luce che studiammo il foglio.

Era una mappa tracciata con un pennarello. La mappa indicava l'insediamento di Elfrida, la 191 che l'attraversava da nord a sud, i campi a irrigazione circolare – piccoli cerchi disegnati accanto alla strada.

La parte interessante era a nord del villaggio. Una via sembrava staccarsi e inoltrarsi verso le montagne, fino al punto dove l'autore della mappa aveva abbozzato la sagoma dell'altopiano senza nome. In corrispondenza dell'altopiano c'era scritto: OSSERVATORIO ABBANDONATO. E subito sotto: QUI ANSELMO.

Io e Danilo ci guardammo. A giudicare dal foglio, il posto che cercavamo era stato fin dall'inizio sotto i nostri occhi.

Volgemmo lo sguardo a ovest ed era là, compatto, in attesa, una forma immobile e quasi viva che assorbiva in silenzio l'incendio del tramonto. L'altopiano. La nostra meta.

***

Ricostruimmo ciò che era successo nel corso del pomeriggio. Danilo aveva gironzolato per il paese senza raccogliere granché informazioni. Nonostante la quantità di caffè ingerito in mattinata, io ero sprofondato nel sonno per l'intero pomeriggio. E qualcuno aveva infilato sotto la porta la mappa per raggiungere il guaritore – non poteva che essere stata Aylen, ritenevo.

I fatti messi in fila avevano qualcosa di chiaro e insieme fantasmagorico.

Ogni evento era circondato da un'aura elettrica, arcana, la stessa che avvolgeva ormai le forme intorno a noi, le macchine in sosta e le linee delle case nella sera sempre più prossima.

Non era come essere in un sogno. Era piuttosto un nuovo spazio di risonanza. Ogni sensazione, ogni respiro stava prendendo un'eco inattesa, come all'interno di una gigantesca grotta.

Danilo voleva partire subito per l'altopiano, si avviò di corsa verso l'emporio a comprare acqua e del cibo. Un minimo di provviste per affrontare la notte, qualunque cosa ci aspettasse lassù.

Io tornai nella stanza a recuperare le scarpe. Poi nel locale a cercare Aylen.

"Non si è vista," disse la cameriera dal mal di piedi appena mi vide.

Chiesi un bicchiere di acqua ghiacciata e sedetti a un tavolo, deciso ad aspettare Aylen. Se era passata a lasciarci quella mappa, doveva pur trovarsi in zona.

Danilo fu di ritorno in pochi minuti. Era un turbine, ansimava, le tempie rigate da gocce di sudore.

Lo rividi come mi era apparso nell'incubo, ferito, coperto di sangue sulla soglia di una porta, e un sollievo grato mi attraversò: era qui davanti a me intatto, sano. Il mio migliore amico. L'uomo che ogni momento avrei voluto abbracciare e prendere a pugni.

"Ho caricato tutto in macchina," annunciò. "Sbrigati, andiamo."

"D'accordo," dissi. "Stavo solo pensando, aspettiamo qualche minuto per vedere se compare Aylen."

"Ho chiesto al tizio dell'emporio," continuò saltellando

da un piede all'altro. "Mi ha detto che in effetti c'è un osservatorio abbandonato in cima all'altopiano. Come risulta dalla mappa. Alzati, dobbiamo partire."

"Aspettiamo un poco," ripetei. "Magari possiamo cenare qui prima di andare."

Una cortina di gelo gli calò sulla faccia. Smise di saltellare e mi guardò con gravità: "Non posso crederci. Preferisci stare qui ad aspettare la tua cameriera, giusto? Ora che finalmente sappiamo dove trovare Anselmo, tu preferisci la cameriera".

"Dev'essere stata lei a fornirci la mappa," gli ricordai. "E se l'aspettiamo potrebbe venire con noi. Magari, potrebbe evitarci disavventure come quella della notte scorsa."

"Non avremo nessuna disavventura. Abbiamo una mappa," soffiò a occhi socchiusi. "Ma tu vuoi stare qui, ah ah. Lasciami indovinare, chissà cosa speri di ottenere da lei."

"Attento. Non rovinare tutto," lo avvertii prima che aggiungesse altro.

"Sei tu che rovini tutto." Indicò fuori, dove la monovolume ci aspettava, le prime ombre della sera sulla strada polverosa. "Mi hai promesso che non mi avresti mollato. Me l'hai promesso, amico."

Riluttante, mi alzai e lo seguii fuori. La luna era un fuoco bianco e del tutto rotondo, ci inquadrava dall'alto.

Qualcuno aveva bagnato con una canna la polvere della strada. L'odore umido mi riportò per un attimo a Big Sur, sulla scogliera, sotto la pioggia, Brother Lucius che mi parlava della paura. La paura di andare. Volevo andare e volevo restare. Nessuna idea di cosa ci aspettasse sull'altopiano. Con un brivido, salii in macchina.

***

Oltre il parabrezza, davanti a noi, il cielo era di una bellezza irreale. La luna e l'ultimissima luce del giorno lo rendevano di un blu ai confini con l'indaco: brillante, trasparente come la tela di un paralume. Da dietro, la luce del cosmo filtrava attraverso milioni di piccoli fori.

Le costellazioni, i loro disegni, l'infinita sfaccettatura della volta stellata.

Quasi leggendomi nel pensiero, Danilo mormorò qualcosa sulle costellazioni.

Disse che gli ricordavano disegni di molecole – come quando il professore di chimica disegnava una molecola formata da vari atomi. Ci vedeva molecole di ogni tipo, il mio amico, sostanze chimiche, droghe, psicofarmaci, un immenso cielo-farmacia, una carta stellare della biochimica e della possibile ebbrezza umana.

Viaggiavamo veloci verso nord, la direzione opposta a quando avevamo seguito il pick-up la sera prima.

Il cielo sfarzoso e chimico e la strada di fronte a noi, illuminata dalla luna e dal nostro unico faro. Dai finestrini, l'aria ancora tiepida conteneva, percettibile, la promessa fredda della notte.

Danilo accelerò. Solo all'ultimo scorgemmo il cartello al lato della strada, frenammo di colpo e lo stridio delle gomme si sparse per la vastità del deserto.

"È un casino guidare con un solo faro," si lamentò Danilo.

"Potresti andare meno veloce per cominciare," gli risposi.

Il vecchio cartello era quasi illeggibile. Diceva OSSERVATORIO ASTRONOMICO e indicava a destra. Una pista sterrata si inoltrava nella pianura arida, verso la forma dell'altopiano che si intravedeva, là in fondo, rivelata dal bagliore lunare.

Sì, pareva aspettarci. Un rilievo roccioso, un lembo di pianura che si era sollevato, in ere lontane, per qualche motivo in direzione del cielo.

Danilo imboccò la pista a tutta velocità. La macchina sussultava sulle asperità del terreno. Nonostante le chiacchiere sulle costellazioni, potevo avvertire l'agitazione crescente del mio amico. E la sua stizza altrettanto crescente. "Non posso crederci," riprese. "Hai avuto tutto il giorno per aggiustare questo faro."

"Te l'ho detto," dissi. "Sono andato nella stanza e mi sono addormentato."

"Ma prima," insistette. "Questa mattina."

"Me l'avevi detto tu di chiedere ad Aylen un consiglio su dove andare a ripararlo."

"E quando hai visto che la tua bella non arrivava, non ti è venuto in mente di muovere il culo, di andare da solo in cerca di un posto?"

Il faro della macchina lanciava lampi di luce mobile sulle rocce, sui cespugli e sulle braccia spinose dei saguari. Perché continuavo ad aspettarmi che qualcuno, qualcosa spuntasse di colpo da dietro i cactus? "Pensa a guidare e smettila di starmi addosso. Tu e la tua depressione del cavolo," dissi con tono più aspro di quanto intendessi. "Questo deserto mi sta mettendo i brividi."

"Perché, credi che io non mi stia cagando sotto?" fece Danilo con voce feroce. "Se riparavi il faro magari eravamo più tranquilli."

Mi aggrappai al cruscotto. Tutte queste sensazioni. L'incubo del pomeriggio, il cielo infestato di stelle, i sussulti della strada sterrata. Il panico nelle nostre voci e la velocità dell'auto. Frenammo di nuovo, bruscamente, alzando polvere tutto intorno: c'era un bivio davanti a noi.

In questo caso non c'era alcun cartello, solo il bivio e la pista che si sdoppiava. L'altopiano era vicino, non troppo alto, sovrastato da una striscia di nuvole allungate. Ma quale dei due sentieri lo raggiungeva?

"Questo bivio non risultava sulla mappa," si lamentò Danilo.

"Se avessimo aspettato Aylen," rimpiansi. "Lei ora saprebbe dove andare."

"Senti," disse lui. Si grattò il mento con fare pensoso. "Dimmi da che parte andresti."

"Che ne so."

"Da che parte?" insistette.

"A sinistra," azzardai.

"Bene." Il mio amico infilò la marcia e prese a destra. Fischiettò soddisfatto mentre io, sul mio sedile, sobbollivo in silenzio.

Avanzammo alcuni minuti. "Sono giorni che ti sopporto," scoppiai. "Ti ho seguito fino a qui, mi chiedo cos'altro vuoi ancora. Bravo, sei divertente, mi chiedi da che parte andare e vai dall'altra parte. Un genio della comicità. Uno che vede psicofarmaci in cielo."

"Sentiamo," replicò, manovrando per evitare le buche più grosse sul terreno. "Sono curioso di sapere cosa ci vedi tu, invece, nel cielo stellato. Triangoli di fica, scommetto. O tante migliaia di tette stellari, ah ah." Riprese a fischiettare. "E chissà cosa speravi di fare con la camerierina."

"Non speravo niente."

"Figurati se una come lei non è abituata ai tizi di passaggio. A quelli che arrivano e cercano di flirtare con lei."

"Pensa a guidare."

"Magari volevi sbattertela nel bagno."

"Danilo." La rabbia iniziava a seccarmi la gola.

"Ho visto che c'era un bagno spazioso al Traveller's Lair. Dovevi approfittarne."

Eravamo ai piedi dell'altopiano e la pista iniziava a inerpicarsi. Trovammo il primo tornante: nessun dubbio, stavamo salendo. Avevamo preso la direzione giusta. Trionfante,

Danilo fischiettò più forte. "Sai qual è il problema?" infierì. "È che non smetti mai di essere una puttanella. Saresti capace di tradire chiunque. Il tuo amico che ti chiede una mano, la tua ragazza che ti aspetta a casa malata."

"Danilo." Scossi la testa, avrei voluto mettermi a gridare. Era il mio migliore amico e stava dicendo cose orribili ed erano cose vere. La gola mi bruciava. Un altro tornante.

La luce del faro descrisse un arco, il motore della monovolume grugnì sotto sforzo. Danilo continuò ripetendo che il mio problema era questo, tradivo tutti, non amavo nessuno, un individuo arido e privo di amore. Non resistevo più. Poi ci fu il tonfo e fu allora che il mio grido esplose. Avevamo investito qualcosa. Avevo appena fatto in tempo a distinguere la figura di un animale.

Ci fermammo lungo la salita, entrambi ansanti. "Che cos'era?" gemette Danilo. "Era un coyote?"

"Sembrava un cane," dissi con voce rotta. "Abbiamo investito un cane."

***

Scendemmo dall'auto lasciando il faro acceso. Di fatto era la luna a rischiarare la scena, proiettando le nostre ombre sul terreno sassoso.

Nel bagliore argentato la faccia di Danilo era quella di un fantasma, gli occhi sgranati. "Dov'è? Dove cavolo è finito?" domandò.

Ci affacciammo oltre il bordo del sentiero ed era là sotto, qualche metro più in basso.

Si trattava decisamente di un cane, taglia medio-grossa, forse un border collie. Impossibile capire se fosse vivo. Nella luce spettrale riconobbi la scia di sangue che aveva lasciato durante la caduta. "Oh Cristo," dissi. Mi presi la faccia tra le mani. "Oh no, dimmi che non è vero."

"Cosa ci faceva un cane qui?" Anche Danilo si prese la testa tra le mani. "Cosa facciamo. E adesso cosa facciamo."

Chiusi gli occhi e quando li riaprii c'era lo stesso cielo luminoso, lo stesso sentiero. Questo non era per nulla un incubo. Sentivo il bruciore alla gola allargarsi verso il petto e il mio torace pareva sul punto di aprirsi in due come una casa squarciata da un incendio. "Non possiamo lasciarlo lì."

Il cane era immobile, raggomitolato su se stesso. Una macchia di pelo e polvere e sangue lungo il fianco della discesa ripida.

"Dobbiamo scendere a vedere come sta," disse Danilo. "Vado io."

"Non lo so," sentii la mia voce dire. "Potresti scivolare, sembra pericoloso."

"E dunque che cavolo vorresti fare?" mi apostrofò. "Se non avessimo avuto il faro rotto magari lo avremmo visto."

Crollai in ginocchio. Restai a guardare in basso e fu a quel punto che il cane, quasi stimolato dal mio sguardo, sembrò scuotersi. "Guarda," dissi speranzoso.

Si stava muovendo. Sembrò provare a mettersi in piedi... La ghiaia sulla discesa cedette. Fu un istante. Il cane rotolò giù per altri metri fino a sparire nel mistero sotto di noi.

La discesa finiva in un dirupo buio, non si vedeva quanto profondo.

"Ehi!" chiamò Danilo con voce roca. Crollò in ginocchio accanto a me. "Ehi!" sperando di sentire un guaito di risposta.

Nulla. Restammo in ginocchio sul bordo del sentiero alcuni minuti.

Sentivo le nostre gole, la mia e quella del mio amico, deglutire nel silenzio.

Infine senza parlare ci alzammo e tornammo sull'auto. Non parlammo per il resto della salita. Affrontammo una serie di altri tornanti e le curve strettissime mi davano i brividi. Mi chiesi se avevo la febbre. Affondai nel sedile, eravamo quasi in cima. Non c'era più niente da dire: anni di amicizia alle nostre spalle e quasi mille miglia di viaggio da Big Sur a questo altopiano e mi sentivo soltanto vuoto. Senza parole da pronunciare.

Rividi il cane raggomitolato con il muso tra le zampe, risentii Danilo che gridava verso il dirupo buio: una paura cupa riecheggiò in me come dentro una stanza spoglia. La macchina sbucò sulla cima.

Era una porzione di pianura rocciosa, solamente più vicina al cielo.

Pareva di stare sopra un'enorme piattaforma al cui centro si alzava, unica costruzione, un edificio in rovina. Una cupola chiara sovrastava l'edificio facendolo somigliare a una solitaria moschea. Il vecchio osservatorio abbandonato.

Nel cortile dell'osservatorio, o in ciò che restava del cortile, c'erano delle auto parcheggiate. Più in là, sotto l'intensità sconcertante della luna, un gruppo di camper, tende, roulotte – un piccolo accampamento. Lasciammo la monovolume con le altre auto.

Chi mai fosse riuscito nell'impresa di costruire un osservatorio in questo posto era difficile da immaginare. La tinta vagamente acida e qualcosa nel disegno dell'edificio facevano pensare agli anni settanta. Forse il capriccio di un miliardario dell'epoca.

Non era grande. Mi avvicinai a toccare una parete, conservava il calore del giorno. "Abbiamo ucciso un cane," gemetti sottovoce, come confessando allo spirito dell'edificio.

Danilo si era avviato verso l'accampamento. C'erano fuochi accesi e sagome di persone e un ritmo di tamburi.

Cominciavo a intuire la situazione: una specie di raduno, o piuttosto una cerimonia. Gente venuta a cercare Anselmo nel weekend e altra che magari viveva accampata qui, all'ombra dell'osservatorio.

Lasciai che Danilo andasse. Lo persi di vista. La paura che avevo in me non bastava più a farmi restare accanto al mio amico. Non era il tipo di paura che ti fa cercare l'illusione di un conforto, della compagnia di un altro essere umano, era piuttosto una paura più infida, distruttiva – il tipo di paura che ti fa restare solo.

***

Lasciai passare una decina di minuti e proseguii con cautela lungo il sentiero che portava al campo. Il fruscio dei miei passi sul terreno duro. Pensai a me stesso, un uomo che avanzava nell'oscurità luminosa di un sentiero, verso il bagliore di un accampamento.

I tamburi ritmavano l'atmosfera. Potevano essere una mezza dozzina, intorno al fuoco principale, i loro suoni intrecciati che si univano e staccavano, sfumando, tornando, quasi una specie di risacca sonora. Mi ricordarono l'andamento a onde dei canti dei monaci, a Big Sur, nella cappella di pietra, ma il ricordo non bastò a rassicurarmi né a farmi sentire meno sperduto.

Mi tenni lontano dal falò principale, presso il quale supponevo che sedesse il guaritore, e presso il quale di certo si era diretto Danilo.

Camminai intorno, nelle mie membra scosse di adrenalina e di sgomento. C'erano fuochi più piccoli. C'era gente che gironzolava e altra stesa su stuoie e coperte a chiacchierare a voce bassa, a bere o fumare o a fissare il cielo. Odore di incensi e di resina bruciata. Ovunque si insinuavano i tamburi, le pulsazioni battenti.

Alcuni mi rivolsero un saluto, la maggior parte non mi badò. Era un misto di hippy e umanità assortita, ragazzi barbuti distesi sui propri zaini, visitatori dall'aspetto più urbano, persino famiglie. Quasi tutti apparivano ben attrezzati, abbigliamento da escursionismo e scarponcini da trekking e maglie di pile.

Mi strinsi nella mia felpa. Desideravo aggrapparmi ai loro vestiti, implorare una risposta. Cosa ci facevo io in questo posto, e perché avevo viaggiato fin quassopra? Qualcuno doveva pur saperlo.

In un angolo dell'accampamento c'era un rudimentale parco giochi, un paio di altalene realizzate con corde e vecchi pneumatici. Due ragazzini sui sette-otto anni ci stavano giocando, gridando allegri in qualche accento di chissà dove, la faccia sporca della polvere del deserto. Il movimento delle loro altalene. La leggerezza con cui si spingevano in alto. Se solo avessi potuto unirmi a loro. Tornare a essere come loro. Quando amare ed essere amati era qualcosa di istintivo, un atto naturale come il respiro.

Mi chiesi se il cane che avevamo investito fosse appartenuto a uno di loro.

Il suono dei tamburi pareva piovere dal cielo. La mia ombra proiettata dalla luna sul terreno. Poi un'altra ombra scivolò accanto alla mia e mi sentii sfiorare una spalla. "Ce l'hai fatta," disse Aylen. "Sei riuscito a trovare questo posto."

Sapevo che l'avrei rivista. Era attraente come mi era apparsa al Traveller's Lair, gli zigomi perfetti, i capelli coperti dal cappuccio di una felpa termica.

Avrei voluto alzare un braccio e sfiorarle il viso ma non sembrava avere senso. Mi sentivo sfinito.

Restammo insieme a contemplare i ragazzini sulle altalene. Quindi camminammo verso il bordo dell'altopiano lasciandoci alle spalle l'accampamento e i suoi fuochi.

"Mi hai fornito quella mappa," accennai.

"Quale mappa?" disse mettendo le mani nelle tasche della felpa.

Non aveva lasciato nessun foglio sotto la porta, mi assicurò. Raccontò anzi di essere stata curiosa di vedere se ce l'avremmo fatta da soli. Preoccupata, certo, dopo che la sera prima ci aveva visti partire in quel modo rocambolesco dalla tavola calda. Ma era una specie di piccola prova cui erano sottoposti molti estranei in cerca di Anselmo – per distinguere chi davvero era deciso a trovarlo, chi era in grado di arrivare a lui.

Era così dunque. Non era lei ad aver lasciato la mappa. La notizia avrebbe dovuto scuotermi, provocò un tonfo sordo sul fondo della mia coscienza.

Un senso di panico continuava ad annidarsi nel mio stomaco, nella gola. "È un posto bellissimo. Ma mi fa paura," confessai.

Aylen annuì. Sorrise in un modo che non sembrò di scherno. I suoi occhi grigi mi fissarono, divertiti e insieme serissimi, come se a un tratto per lei fossi diventato più reale, un uomo in carne e ossa, qui, sulla piattaforma dell'altopiano roccioso.

Non ero sicuro di offrire un bello spettacolo. Mi stringevo nervosamente nelle braccia e mi sentivo vuoto, mi sentivo saturo.

Tutte le sensazioni dell'universo mi venivano incontro, ora, con il soffio gelido che esalava dal deserto.

Lei mi stava dicendo che il guaritore e la gente dell'accampamento avevano rimesso in funzione una vecchia cisterna dell'acqua dentro la struttura dell'osservatorio. Per questo si erano fermati quassù. Per questo, e per stare fuori dalla portata della polizia, e per godersi le due visuali congiunte: quella del cielo, quella del deserto.

Dal bordo roccioso fissammo in basso, la superficie del deserto rifletteva la volta bluastra. La pianura era una vasca senza bordi, riempita da un fluido bagliore spettrale. Laggiù da qualche parte c'era il cadavere di un cane e tutta la bellezza del panorama non bastava a nascondere il dolore intimo del mondo. Non bastava. Gemetti.

Aylen mi fissò, sembrò studiarmi un ultimo istante. Estrasse una mano dalla tasca e l'allungò verso di me: sul suo palmo c'era una pallina di una sostanza scura, dall'aria spugnosa.

"Oh no," scossi la testa. "Questa roba fa per Danilo, non per me."

"Due anni fa la mia vita era un casino e venni nel deserto," disse lei asciuttamente. Con l'altra mano si tirò una ciocca di capelli dietro l'orecchio, lasciando il viso del tutto scoperto. "Questa roba, come la chiami tu, mi aiutò a vederci più chiaro."

La tranquillità della sua voce. Il soffio freddo del deserto mi raggiungeva, quasi solido, avvolgendomi come un mantello.

"Pensa," tentai con voce flebile. "Mi pare di essere in una fantasia hippy."

"Non scherzare. È qualcosa di molto più antico degli hippy."

Fissai la grandiosità sotto di noi, massaggiandomi una tempia. Avvertivo l'impulso di andarmene. Di tornare indietro. Raggiungere la monovolume e chiudermi dentro oppure scendere dall'altopiano e compiere all'inverso l'intero viaggio.

Indietro, l'intero viaggio. Indietro fino a tornare un bambino, un feto, fino a smettere di esistere.

Presi la pallina di peyote disidratato e la strinsi tra le dita: aveva qualcosa di vivo, di carnoso. "Davvero ti aiutò?" chiesi fissando il pezzetto di cactus. Lo misi in bocca. Un attimo prima di inghiottire pensai che era un errore fatale, ma non mi fermai. Non avevo più nulla da perdere.

***

Quando salì il primo conato, pensai che stavo vomitando l'hamburger mangiato alla partenza. Quello della fata turchina.

Respira, respira forte, dissi a me stesso, affamato d'aria. Erano passati all'incirca venti minuti da quando avevo preso il cactus. Il cielo vivido sembrava pulsare, sulle nostre teste, come la parete di un immenso organo.

E poi, anche il mio corpo si mise a pulsare come un'emittente radio. Respira. Stavano andando all'unisono, cuore, gola, costellazioni, l'intero universo a pulsare insieme, trasmettendo messaggi d'amore e disperazione. Respira, ripetei a me stesso, e mi chiesi quanto tempo fosse passato dal mio ultimo respiro e mi resi conto di essere in un loop di pensiero paranoico, probabilmente nel pieno di una crisi di panico.

"Stai calmo," sentii la voce di Aylen da un anno luce di distanza. "Lasciati andare."

"Cazzo," dissi barcollando. Le contrazioni allo stomaco mi fecero crollare a quattro zampe. Buttai fuori un altro getto di vomito.

Il terreno sotto le mani era spugnoso e pulsava con tutto il resto, con i tamburi, con le mie tempie umide e con la nausea.

Ero in un bagno di sudore gelido. "Cazzo!" sentii ripetere in lontananza, e restai incredulo nel capire che era la mia voce.

"Lasciati andare." Aylen si accovacciò accanto a me e mi passò un fazzoletto sulla fronte. "Lasciati andare, non resistere. Anche a me successe così."

"Come fa questa roba ad aiutarti," mi sentii dire, o forse lo pensai soltanto.

Non era possibile sentirsi così male. Perché l'avevo fatto? Perché non hai nulla da perdere e la tua vita è una voragine vuota e tutto ciò che hai è il ricordo di una donna che è guarita appena ti ha lasciato. Mi contorsi tra la polvere. Scosse di nausea e di calore e di gelo e di una tensione insostenibile nei nervi. E vomito, altro vomito.

Mi trascinai sulle mani e sulle ginocchia e non sapevo più se Aylen ci fosse. Ridevo. Com'ero stupido, com'ero stupido. In preda a brividi squassanti o forse convulsioni.

La tensione nei nervi era una potenza elettrica che non potevo più contenere. Il mio corpo sul punto di rovesciarsi su se stesso. Trasformarsi... Tutto il mondo era sul punto di rovesciarsi come un'onda e rivelare di cos'era realmente fatto. Gridai, faceva troppo male.

Ci fu un vuoto. Mi ritrovai che procedevo a quattro zampe, i sassi che ferivano i palmi, piangendo a dirotto. Le mie lacrime avrebbero dissetato il terreno.

Più di ogni altra cosa, da sempre, avevo desiderato non restare solo. Sentire che la mia vita non era soltanto mia. Come mi ero ridotto a questo punto, a strisciare per terra senza nessuno accanto? Non voglio restare solo. Non io, non può succedere a me. Mi accasciai stremato sulla polvere dell'altopiano.

Sentii invocare il mio nome. Alzai la testa, qualcuno barcollava verso di me sollevando sbuffi di polvere con i piedi. Mi crollò addosso, era Danilo.

Era lui, il mio antico amico, ci guardammo negli occhi e ci riconoscemmo e non servivano parole per capire che anche lui aveva preso il cactus, anche lui sapeva. Piangeva. Piangemmo insieme.

Sentii le sue braccia umide e il suo cuore contro il mio. Il nostro era un viaggio condiviso, fin dall'inizio, due uomini che non potevano perdonare se stessi.

Il dolore ci infilzava entrambi. Ero rassegnato, in qualche modo, sapevo da sempre che sarebbe successo: le mie braccia, le gambe, il ventre stavano come cristallizzando – diventavano ghiaccio, quarzo, minerale. Sentivo che nel corpo del mio amico accadeva lo stesso. Stavamo diventando materia inanimata. Stiamo morendo, realizzai.

Ci fu un altro vuoto. Minuti o forse ore dopo, il richiamo paziente dei tamburi ci fece riaprire gli occhi. Era sempre l'altopiano, la notte stellata, i fuochi dell'accampamento, e un gruppo di persone stava venendo verso di noi.

Riconobbi Aylen. Mi alzai instabile, aiutai Danilo a sollevarsi.

Accanto ad Aylen mi sembrò di riconoscere una figura, un passo sportivo e una faccia abbronzata.

Sconvolto, spalancai gli occhi. Non era una visione. Un soffio di ossigeno mi rinfrescò la faccia, uno stupore inaudito mi venne incontro e mi lavò con la forza di uno scroscio. Sì, il gruppetto camminava concitato verso di noi: erano Aylen, alcuni altri dell'accampamento, e al centro c'era Martin, il monaco surfista, che camminava portando in braccio una creatura – un cane ferito, insanguinato.

***

In seguito avrei ricostruito. Avrei saputo della decisione di Martin di seguirci nel deserto, per riflettere sulla sua vita con Paul e sulla tentazione di tornare in monastero. Di com'era partito da Santa Monica e arrivato a Elfrida prima di noi. Aveva chiesto informazioni e individuato l'altopiano, era venuto nel pomeriggio a bussare alla nostra stanza e, poiché io addormentato non avevo risposto, aveva lasciato una mappa sotto la porta.

Avrei saputo di come quella sera, mentre ci cercava sull'altopiano, aveva visto il border collie ferito che tentava di arrampicarsi sul fianco dell'altura. Il cane moribondo provava a raggiungere le luci dell'accampamento. Martin era riuscito ad avvicinarsi e a prelevarlo, aiutato da alcuni altri e da Aylen, che nel frattempo aveva notato da lontano la scena.

Aveva preso il cane tra le braccia e stava correndo, ora, verso l'unico che avesse qualche chance di salvarlo. L'uomo per cui tutti eravamo qui. Il guaritore.

In seguito avrei ricostruito ogni cosa, ma mentre andavo incontro a Martin lo stupore per la sua comparsa continuava a venirmi addosso come le scariche di un monsone. Tossii, senza fiato. Provai a dirgli qualcosa e a chiedergli perdono per essere stato invidioso della sua vita, del suo amore, del suo dio e dell'amante che pregava all'alba ai piedi del suo letto. Lui sorrise e il suo sguardo mi accolse nella notte fluida, ma accennò al cane che portava in braccio e accelerò il passo.

Io e Danilo ci aggregammo, la gola bloccata. Stavamo entrando in un regno dove le parole non potevano seguirci. Tutti ci stavamo entrando. Un gruppetto di gente sotto peyote che correva in processione.

La luna e i pianeti sfolgoravano come in un quadro di Van Gogh e la cupola dell'osservatorio si stagliava simile alla testa di un drago in attesa. I tamburi si interruppero quando comparimmo vicino al fuoco. Subito ripresero più forti, più urgenti.

Martin depose l'animale con delicatezza, il viso contratto. Compresi che gli ricordava il cane che aveva a casa, Otto, e la sua vita a Santa Monica. Il cane respirava a stento.

Ci stringemmo intorno. Le fiamme del fuoco, dorate e quasi immobili, protese verso il cielo gelido. Anselmo si inginocchiò accanto al cane. Non sapevo neppure quando fosse entrato nel mio campo visivo – era come ci fosse stato da sempre.

Il guaritore era vestito di pantaloni e giaccone di fustagno, un berretto di lana sopra i capelli lunghi fino alle spalle. I piedi erano scalzi, coperti dalla polvere marroncina dell'altopiano. Al collo, unico ornamento, una collana di piume.

Esaminò il cane, la faccia rugosa intagliata dalla luce del fuoco. Passò una mano a un paio di centimetri dal pelo sul fianco e l'animale emise un guaito.

Impugnò un tamburello di pelle, iniziò a suonare e a cantare una scala di sillabe gutturali. Gli altri tamburi lo seguirono, una sinfonia di battiti intrecciati che riempiva la notte del deserto.

Il cane sputò del sangue. Il ritmo aumentò. Il guaritore stava passando con il tamburello sopra il corpo dell'animale, più volte, cercando il punto esatto della ferita interna. Il fuoco pareva congelato. Le nostre braccia tremavano. I battiti e la voce raggiunsero un picco e si spezzarono e ci fu un abisso di silenzio, improvviso, sospeso, in cui il cosmo sembrò in bilico. Rinascere, o morire per sempre.

Il cane si scosse, sputò altro sangue e riprese a respirare. La sua coda accennò un movimento.

Anche noi riprendemmo a respirare – io, Danilo, gli altri, e persino il fuoco riprese ad agitarsi, sotto l'alito della brezza, mandando scintille sulle mie scarpe. Il cane era salvo. Si rizzò traballante sulle zampe e ci guardò stordito.

Ricordo che aveva occhi azzurri. Ricordo che studiò me e Danilo come se sapesse che lo avevamo investito, ma c'era perdono nei suoi occhi. O forse stavo immaginando. Non ricordo con precisione ogni risvolto di quella notte, e forse la memoria fa degli scherzi, e so che sarebbe facile ironizzare, certo, sul fatto che avevo ingerito una pianta contenente mescalina.

***

Il fuoco ci vegliava, il suo mistero di atomi in trasformazione e il modo in cui ammiccava al firmamento là in alto.

La notte non era finita. Dopo essersi occupato del cane, Anselmo ci fissò, la testa inclinata, sulla fronte un fascio di rughe arcuate.

Siamo troppo malconci persino per lui, temetti. Due italiani con gli occhi fuori dalle orbite e un ex monaco barbuto con la maglia macchiata di sangue canino.

Avvertii il suo sguardo sulla faccia, così denso da sembrare solido, lo sentii frugare in me come dentro un cassetto. Ci fece stendere sulle stuoie vicino al fuoco e iniziò a cantare per noi.

Non so dire per quanto durò. Ci stavamo tenendo per mano, Martin e Danilo e io e Aylen, stesi sulla schiena.

Notai che il guaritore si soffermava su Danilo, la sua voce si faceva più tesa. Era un osso duro, la malattia del mio amico, eppure ero sicuro che il guaritore ce l'avrebbe fatta. Ero stato uno stupido a non crederci prima.

Il cielo sfolgorava elettrico, con intensità impossibile, la moltitudine luminosa impegnata a rivelarsi, per un ultimo frangente.

Chiusi gli occhi e mi abbandonai. Il canto di Anselmo mi strisciava sotto la pelle, ricuciva il senso delle mie esperienze. Kareen, le altre donne, il monastero, mio fratello, ogni immagine degli ultimi giorni, le braccia romantiche dei joshua tree, gli animali incontrati lungo la strada. E poi tutto si sciolse e il mio corpo si dissolse. Mi trasformai in nient'altro che un fiotto di gioia.

L'ultima sensazione che ricordo è di essere immerso in una corrente di luce e calore.

Era semplice, davvero semplice. Non avrei mai saputo che cos'era quella corrente – un fenomeno fisiologico, un prodotto dei miei neuroni, una qualche forza energetica oppure metafisica. Il flusso del Dio del monastero o del Buddha di Paul o di uno spirito del deserto. Non mi importava. L'amore non era un'invenzione degli esseri umani.

Non dipendeva da me, era un flusso naturale, primordiale, scorreva da sempre, per sempre. Nonostante tutto, nonostante me.

Come potevo non aver compreso prima. Era al limite del comico da tanto semplice. L'amore esisteva, non aveva mai cessato, fluiva dentro e sotto la realtà, anche nel mondo più compromesso. Avevo perso tanto tempo a sentirmene privo. Perso così tanto a sentirmi in colpa, risentito, a sentirmi prosciugato e secco. Ero quasi morto di sete ed ero sempre stato a un metro dal fiume. Ah ah, come avrebbe detto Danilo.

***

Un giorno, a distanza di tempo, a sangue freddo, avrei ripensato alle rivelazioni avute durante quella notte sull'altopiano. Le avrei trovate sfuggenti, troppo banali? La maggior parte delle illuminazioni e delle epifanie e delle intuizioni esistenziali nella vita di un uomo brillano sul momento, poi si fanno opache fino a sparire.

Eppure ciò che a volte le rende preziose è che non si tratta di pure nozioni. Non soltanto di parole.

In una terapia, in un processo di guarigione non bastano le parole. Se qualcuno mi avesse detto che da qualche parte c'era ancora una scelta – che nonostante io lo avessi perso di vista, là c'era un fiume e scorreva magnifico, indipendente, persino un poco beffardo. Che potevo riconoscerlo e provare a ricongiungermi a esso. Se qualcuno mi avesse detto cose simili, avrei abbozzato un sorriso di sufficienza. Le avrei giudicate chiacchiere da rubrica di self-help.

Ma quelle provate durante la cerimonia, accanto al fuoco, all'ombra della cupola dell'osservatorio abbandonato, erano state sensazioni fisiche. Esperienze autentiche.

Avevo sempre pensato che i viaggi con certe piante avvenissero nella testa, si era trattato invece di un piano di esperienza molto più ampio. Avevo sentito. Avevo creduto.

A oriente, la sabbia iniziava a emanare un bagliore magnetico. La luce dei fuochi nell'accampamento prese a sfumare.

Il paesaggio tornava a rivelarsi con la sua gamma di colori eterei. Le forme delle cose si illuminarono, in successione, come se un'invisibile mano le toccasse una a una, richiamandole in vita: le altalene di corde e pneumatici – i ragazzini se n'erano andati a dormire da un pezzo. La piccola schiera di roulotte, le tende piantate sul terreno sabbioso, là in fondo i rilievi delle Chiricahua.

I miei amici riposavano sulle stuoie, a occhi chiusi, i volti pacifici.

Danilo si scosse e i nostri sguardi si trovarono. Avrei potuto contare una a una le pagliuzze nelle sue iridi. I suoi occhi erano incendi verdi e consapevoli nel riflesso dell'alba. Mi sporsi verso di lui: "Grazie di avermi portato qui".

"È stato un viaggio intenso," soffiò.

"Lo è stato." Sussurrai, quasi muto: "Promettimi che sta-rai bene".

Lui annuì, sorrise. Abbandonò la testa contro la stuoia. Vorrei aver scattato una foto del suo viso sotto il colore di quel cielo, aver catturato la luce del suo sguardo.

Richiuse gli occhi e sembrò cadere in un sonno da bam-bino.

Mi alzai. Il fuoco quasi spento emetteva una colonna ver-ticale di fumo. Anselmo cantava, in tono più basso, quasi per se stesso, seduto su una roccia. Anche il guaritore era esau-sto. A tratti emetteva dei fischi brevi, affettuosi, forse a ri-chiamare chiunque fosse ancora disperso, chissà, in qualche mondo distante.

Grazie, sussurrai in direzione del guaritore. Grazie, con-tinuai a recitare mentre camminavo tra le stuoie, tra la gente che riposava, i resti dei fuochi.

Due ragazze ballavano lente, i capelli biondi infiammati dall'alba. Era qualcosa a metà tra la danza e la meditazione.

Ebbi voglia di unirmi a loro, ci ripensai e mi diressi verso il bordo dell'altopiano.

Qui, era stato in questo punto che Aylen aveva estratto la mano dalla tasca, e mi aveva raccontato che anche lei, un tempo, era arrivata nel deserto sperduta e senza bussola. Al-cune ore prima. Sembrava passato un secolo.

A nord e a sud non vedevo orizzonte, soltanto un pulvi-scolo di luce gloriosa.

Davanti a me la linea delle montagne, oltre le quali si al-zava il sole.

Sentii il calore sul viso. Si mescolò al calore di una defini-tiva certezza: la mia vita non era più la stessa. Stava per cam-biare.

Provai gratitudine per il deserto, per la sua natura spieta-ta e sincera, per l'ampiezza entro cui la coscienza trovava spazio per distendersi – per girarsi e per accorgersi di ciò che aveva intorno.

Sussurrai il mio nome. Sussurrai i nomi delle persone che amavo. Oltre il bordo dell'altopiano volteggiavano due creature, e sembravano cibarsi in volo dei nomi che sussurravo. Conoscevo ormai le loro grandi ali, il volo maestoso. Certo, erano loro. Cercai il messaggio che i due condor erano venuti a portarmi, ma ero troppo esausto e la vista iniziava a cedere.

I condor seguivano le loro rotte, ricamando segni intrecciati nell'aria. Si impennarono. Illuminati dal sole, diventarono schegge d'oro.

Epilogo
Una lettera

È passato un anno esatto e ho sentito l'impulso di scriverti questa lettera.

Una lettera, proprio così, come ai vecchissimi tempi. Come prima della posta elettronica, quand'eravamo ragazzini, nell'epoca in cui compravamo ancora i cd o addirittura le musicassette e facevamo le foto con la pellicola. Abbiamo visto molte cose cambiare, io e te.

Sì, un anno esatto da quella nostra spedizione nel deserto e ti sto scrivendo una lettera anche se ormai non saprei più a chi spedirla. Anche se tu non potrai mai più leggerla.

Rivedo i tuoi capelli illuminati dal sole mentre balli fuori dall'ufficio di un autonoleggio, con mio fratello, al suono della radio della macchina che abbiamo appena affittato. Ridi, mi stai portando nel deserto. Ti sento sparare battute mentre stai a mollo in una vasca di acqua calda, la testa imperlata di gocce di vapore, nella notte tersa dell'Arizona.

Richiamo i ricordi. Mi accerto ci siano ancora, come fossero i versi di una poesia che voglio tenere a memoria.

Ti sento gridare di entusiasmo spingendo l'acceleratore lungo un'autostrada che costeggia il Pacifico. Vedo la tua faccia nell'alone della notte, mentre attraversiamo in macchina la distesa elettrica di Los Angeles o mentre ci fermiamo sotto la luna, sull'orlo di un dirupo lungo la salita per l'altopiano – la tua faccia è pallida, sembra quasi brillare. Sembra quella di un fantasma.

E poi, quel che successe dopo la cerimonia sull'altopiano. I quattro giorni che restammo lassù, a fare amicizia con Anselmo e con la gente dell'accampamento e a prenderci cura della convalescenza del border collie dagli occhi azzurri.

Non scoprimmo mai a chi apparteneva. Probabile che qualcuno lo avesse abbandonato nel deserto.

Alla fine se ne andò con Martin, che lo caricò in macchina ripartendo per Santa Monica. "Diventerà il fratellino di Otto," commentò allegro. Il nostro amico barbuto stava tornando alla sua tavola da surf, stava tornando dal suo uomo – aveva preso il cane come un segno, un invito a credere una volta per tutte nella sua vita con Paul.

Quanto a te, dovevi tornare verso la costa a riconsegnare la macchina e prendere un volo per l'Italia. Ricordo che ti eri scottato il naso e la nuca. "Sempre meglio che scottarsi il pisello," mi prendesti in giro al momento dei saluti.

Mi augurasti buona fortuna. Ricordo il nostro abbraccio. Chi avrebbe mai detto che ci saremmo separati a Elfrida, un posto di mille anime in mezzo al deserto.

Io e Aylen ci tenevamo per mano mentre ti guardavamo partire. Restammo entrambi ad agitare l'altra mano, fino a quando la macchina sparì in una nube di polvere. La monovolume era malconcia ma non avevi voluto soldi, e pensavo che magari non eri del tutto al verde – dovevi avere qualche risparmio, qualche risorsa su cui contare per i prossimi mesi.

Continuavo a non comprendere abbastanza. Persino dopo tante illuminazioni, dopo esperienze tanto intense.

Ci ho messo parecchio anche a capire, fino in fondo, la verità sul nostro viaggio. Accidenti, era sempre stato ovvio. Non ero mai stato soltanto un accompagnatore del tuo viaggio. Si era trattato fin dall'inizio di un viaggio di guarigione per me, oltre che per te. Anzi forse soprattutto per me.

Di recente, Rudi mi ha confermato com'era andata. Era stato lui, mio fratello, a scriverti dello sciamano nel deserto. A suggerirti di venire in California e a dirti che poteva essere un viaggio interessante per te, nonché per me. Eravate preoccupati entrambi per il modo in cui stavo ristagnando al monastero. Stavo rinunciando a rimettermi in pista, credevo che la mia vita fosse pressoché finita. Avevo bisogno che qualcuno venisse a smuovermi.

E tu sei venuto e mi hai portato nel deserto. Ha funzionato. Il viaggio ha funzionato, almeno per me.

***

La casa di Aylen è un villino quadrato a un chilometro dal Traveller's Lair – un nido fresco di pietra e di legno che lei trovò quando arrivò da queste parti, due anni prima di me.

Spesso mi perdo nei suoi occhi grigi. Trovo incredibile tutto questo, che lei abbia fatto un viaggio simile al mio, che sia capitata qui e che mi abbia aspettato, in un certo senso.

Ride quando mi racconta la faccia idiota che avevo il giorno in cui arrivai alla tavola calda. *Che ci fa una stella marina in mezzo al deserto?* E poi, la smorfia sconvolta che avevo la sera successiva sull'altopiano. Aylen dice di aver iniziato a innamorarsi di me quando sostammo sul bordo dell'altura, e guardammo la distesa spettacolare del deserto rischiarata quasi a giorno dalla luna, e io non feci quello che tutti avrebbero fatto. Non tirai fuori il telefono per scattare una foto.

In un mondo soffocato dai luoghi comuni, a volte colpisce un gesto non fatto. Una frase non detta.

In verità neppure lo portavo in tasca, in quei giorni, un telefono.

Ci siamo tornati alcune volte, sull'altopiano, per partecipare ad altre cerimonie con Anselmo. Sai, ogni volta il vecchio guaritore mi chiedeva di te. Chiedeva se ti avevo sentito, se sapevo come stavi. E io non capivo, continuavo a non capire.

Poi, Anselmo e il suo seguito hanno smontato le tende e messo in moto i camper e lasciato l'altopiano. Credo andassero verso il New Mexico.

Da quando sono partiti, io e Aylen abbiamo partecipato a una cerimonia con un gruppo della Chiesa dei Nativi Americani, a una settantina di miglia da qui. Un altro paio di volte siamo tornati sull'altopiano e abbiamo preso un pezzetto di cactus da soli. Non tanto, giusto abbastanza perché le stelle si avvicinassero, delicatamente, fino a benedirci con la loro emanazione, a sussurrarci la loro drammatica gioia.

Al momento Aylen non può più prendere il cactus. Ho voglia di salire là sopra, comunque, uno di questi giorni, a salutare la cupola dell'osservatorio abbandonato.

Qualcuno in paese mi ha detto che la secchezza del deserto proteggerà quell'edificio per secoli, per millenni. Un giorno, chissà – la sua cupola sarà trovata dagli archeologi o da una qualche civiltà aliena, un ricordo di come l'umanità interrogava, solitaria, l'infinità dei cieli notturni.

Mentre vado per le strade con il mio furgoncino, mi interrogo sulle cose che il deserto conserverà. I rifiuti delle discariche abusive e la bellezza ultraterrena delle gole rocciose. Vorrei che da qualche parte ci fosse l'impronta del tuo passaggio, un fossile emotivo di ciò che hai provato finché eri qui.

Sto imparando a conoscerlo, il deserto. I suoi contrasti vertiginosi e gli angoli più remoti. Da quando mi occupo di giardini, mi chiamano nel raggio di centinaia di miglia.

***

Non è molta la gente che può permettersi un giardiniere nel deserto, eppure ho un numero decente di clienti. L'altro giorno ho lavorato a un roseto. Anche nel deserto fioriscono le rose, se hai i mezzi per poterle innaffiare. E nessun capriolo viene a mangiarle.

Ci sono un paio di ranch che mi affidano la cura delle loro aiuole. Ci sono coppie di LA o di Phoenix con i loro rifugi per le vacanze circondati da macchie di palme. Altri tizi che vivono isolati da soli, veri eremiti del deserto, in case di terra battuta e fibre di carbonio disegnate da architetti visionari. C'è un gruppo di artisti che ha occupato un villaggio fantasma – non un villaggio di un secolo fa, un investimento immobiliare di cinque anni fa rimasto vuoto per il crollo dei mercati. Mi hanno chiesto una mano per coltivare degli olivi.

Viaggio da un punto all'altro. Ho i miei attrezzi, il Ford di terza mano comprato su Craiglist.

Mi capita di accostare sul ciglio della strada e studiare il panorama.

Fingo che la sabbia sia una distesa di ghiaccio e mi muovo come se stessi pattinando e come tu fossi lì a insegnarmi come fare. Nessuno mi vede, siamo soltanto io e il cielo.

Ma per quanto scruti l'orizzonte febbricitante, non ho più rivisto i due rapaci maestosi. La coppia di condor.

Lo so, è altamente improbabile che quelli visti in più occasioni, un anno fa, fossero sempre gli stessi due esemplari.

Sarebbe inverosimile, pressoché soprannaturale che due condor ci avessero seguiti per giorni, dalla costa californiana fin nel profondo entroterra dell'Arizona. Di tutti i ricordi di quel viaggio con te, questo è il più controverso.

Una sera ne ho parlato con Aylen. Le ho riferito le interpretazioni simboliche che avevo appreso a suo tempo da Brother Lucius – i condor come i grandi distruttori. Oppure grandi creatori.

Eravamo a letto, prima di dormire, i suoi zigomi scolpiti dalla luce della lampada. "C'è un'altra interpretazione," ha accennato Aylen. "Secondo la tribù da cui discendeva mio padre, i condor accompagnano le anime dei morti. Sono animali psicopompi."

Certo. Anche questo a pensarci era ovvio. Le anime dei morti.

Non avrò mai una risposta definitiva su quei due animali. Se li ho visti realmente e se erano sempre gli stessi.

Sembravano seguirci come sapendo che di lì a pochi mesi, uno di noi due sarebbe morto.

***

È stato Rudi a chiamare, una tarda mattinata. Ero appena rientrato da un lavoro dalle parti di Moon Canyon e bevevo una tazza di tè in cucina. Il sapore di quel tè resterà per sempre sulla mia lingua. Il bordo della tazza contro le mie labbra nella luce bianca dalla finestra.

Il tempo ha preso a rallentare dal primo squillo del telefono. Ho sollevato e c'è stato un attimo di silenzio innaturale. Il respiro di mio fratello nella cornetta. "Sono io," ha detto. "Mi hanno appena chiamato dall'Italia. C'è una notizia tremenda."

Prima ancora del senso delle sue parole ho realizzato il tono della sua voce. Ho stretto la tazza e un'ondata di pelle d'oca mi ha scosso il corpo. L'ho invitato a continuare: "Dimmi".

Credo la chiamata sia durata una decina di minuti. Rudi ha pianto una volta o due. Io sono crollato su una sedia e parlavo soprattutto a parole singole – "dove?", "quando?". Poco dopo Aylen è rientrata e mi ha trovato nella stessa posizione, in cucina, a stringere la tazza di tè mezza piena. Si è seduta davanti a me e ha chiesto cos'era successo.

Ti aveva trovato il padrone di casa. Era entrato nell'appartamento dopo che da tempo cercava di contattarti per gli affitti arretrati. Eri in bagno, a occhio e croce da almeno due-tre giorni. Nudo sul pavimento di un bagno, proprio come il tuo comico preferito Lenny Bruce.

È stata una morte educata, a modo suo. Senza neppure una goccia di sangue.

La causa non era ancora ufficiale ma la scena aveva un'aria inequivocabile. Sulla mensola c'era il tuo astuccio-farmacia. Accanto, piegato in due, pareva tu avessi lasciato un biglietto. Cosa ci fosse scritto sul biglietto, però, Rudi non lo sapeva.

Ho riferito ad Aylen ciò che avevo appreso dalla chiamata di Rudi. Ascoltavo la mia voce pensando no, non sto dicendo queste cose. Non sta accadendo questo. È l'ennesimo equivoco, una piega storta nel tessuto della realtà.

La mia voce era strana, così inadeguata. Ho ricordato ad Aylen le ultime conversazioni avute con te.

La chiave di questa atrocità poteva stare là, da qualche parte, nelle ultime volte che ci eravamo sentiti. Non che ci fossimo sentiti molto, da quando eri tornato in Italia. La mia maledetta tendenza a trascurare la posta elettronica. A non collegarmi su Skype.

Nelle poche mail che ci eravamo scambiati, tu iniziavi scherzando: "Al mio caro immigrato clandestino".

In una telefonata alla vigilia di Natale mi avevi detto che non speravi più di riavere il posto al locale. C'era di meglio all'orizzonte. Forse, forse, un investitore avrebbe messo dei soldi per aprire un posto tuo. Un locale piccolo ma con del carattere, ecco. Avresti ingaggiato Cinzia e altri artisti che apprezzavi. C'erano tanti comici in gamba e disoccupati che meritavano di riavere un posto, avevi detto.

Ero contento di sentirti con delle idee, anche se sapevamo entrambi che erano sogni troppo vaghi. Progetti infondati.

Ho continuato a ricordare. Avevo terrore del momento in cui sarebbe venuto il silenzio. Fino a quando Aylen mi ha chiesto con tono di allarme: "Che stai facendo?".

Avevo raggiunto il computer e preso a consultare pagine di compagnie aeree. "Devo cercare un volo," ho singhiozzato. "Non posso mancare al funerale del mio migliore amico."

Lei non ha risposto. Sapevamo cosa significava.

Il mio visto negli Stati Uniti era scaduto da un pezzo, ero un illegale. Uscendo dal paese mi avrebbero scoperto e dichiarato indesiderabile. Non sarei potuto rientrare per almeno una decina d'anni. Sarei rimasto bloccato in Italia, senza un lavoro, senza Aylen, senza più nulla.

Il silenzio è venuto, era amaro e denso e mi ha riempito la bocca come una schiuma.

Ho pianto. Ho ripreso a cercare il volo fino a quando il telefono ha suonato di nuovo.

Era Cinzia. Doveva essere notte, ormai, a quel punto in Italia. Mi ha detto del biglietto sulla mensola del bagno. Mi ha detto che pensava fosse rivolto a me. Non poteva che essere rivolto a me. Diceva soltanto: "Non venire. Ti voglio bene".

***

Rifletto di continuo su quel biglietto. Ci rifletto mentre lavoro, mentre curo i bulbi che tengo nel capanno degli attrezzi dietro casa. Mentre travaso i semi dentro sacchetti di juta, scrivendo a mano etichette con i loro nomi.

Venire a darti l'ultimo saluto sarebbe stato straziante. Non venire lo è stato anche di più.

Rudi ha preso un aereo ed è venuto. In seguito mi ha raccontato che al funerale c'erano tutti.

Cinzia, i tuoi genitori, i nostri. La gente del vecchio locale, qualche personaggio televisivo che ti conosceva. Spettatori dei tuoi show. Qualcuno, per un motivo che Rudi non aveva capito, indossava magliette di vecchi film horror.

C'erano amici di un tempo. C'era Kareen con suo marito.

Durante la cerimonia è stata suonata *With or without you*, non so chi l'avesse scelta.

Mentre la bara si avviava verso la camera di cremazione è partito un battimani durato vari minuti. Era per te. Era il tuo ultimo applauso.

C'era inoltre il padre di Kareen. Rudi lo ha sentito che parlava con altri, un discorso del tipo: "Da medico, sono sorpreso a dire il vero che non sia successo prima. Con tutti i miscugli che quel ragazzo prendeva".

Certo. Era da un tale numero di anni, che mescolavi farmaci e alcol e altro.

Era ovviamente pericoloso. Avrei dovuto insistere perché la smettessi? Eri Danilo, l'inossidabile Danilo, sembravi sempre sapere quando fermarti.

E anche se il certificato di morte, discretamente, ha riportato come causa un'overdose accidentale, sappiamo tutti che non c'è stato alcun incidente.

Hai persino lasciato un biglietto – per assicurarti che la tua morte non significasse la fine della mia vita americana.

Mi chiedo cos'hai sentito negli ultimi minuti. Se ti sei sentito galleggiare, se hai spalancato gli occhi e visto un cielo di molecole e di stelle.

Io non so dov'ero, nello stesso momento, a letto con Aylen o a interrare una pianta o a guidare ascoltando gli anniversari del giorno.

La morte è una signora strabica, a volte finge di tenere d'occhio qualcuno e invece fissa qualcun altro. Nessuno si aspettava da te questo finale. Era sempre stata Kareen, la sorvegliata speciale, quella che aveva tentato il suicidio un paio di volte da adolescente, e perciò era marcata stretta da suo padre.

Kareen che spariva nella bolla della sua clinica, terapie di gruppo e sedute di arteterapia.

Mio fratello ha detto che al funerale Kareen si è avvicinata. Che aveva un vestito blu scuro e una sciarpa sui capelli. Tuttora mi turba l'idea del suo sguardo, della sua voce che pronuncia il mio nome.

Gli ha chiesto notizie di me. È sembrata felice di sapere che vivo con qualcuno. Lo ha pregato di dirmi che lei sta bene, che ce l'ha fatta. Dirmi di non stare in pena per lei.

"E ti è sembrato fosse vero?" ho chiesto a Rudi. "Stava bene?"

"Sì," ha sospirato Rudi. "Era in forma, una bellissima donna. Ed è incinta. Kareen e suo marito aspettano un bambino."

***

Il funerale è stato all'incirca tre mesi fa. Una ventina di giorni più tardi, un venerdì, io e Aylen siamo partiti con la sua macchina.

Con noi abbiamo portato il necessario per metterci in ghingheri, lei tacchi alti e un vestito di cotone chiaro perfetto per la sua pelle ambrata. Io la mia unica giacca elegante. Andavamo verso Santa Monica per partecipare a un party. Il matrimonio di Martin e Paul.

In effetti, non un vero e proprio matrimonio, visto che in California al momento la legge non lo prevede. Piuttosto una unione civile. Hanno firmato i documenti il sabato mattina e nel pomeriggio c'è stato un party nel loro giardino, in cui hanno espresso le reciproche promesse amorose davanti agli amici. Nessun rito ufficiale. Eppure tutto molto intenso.

C'era Father Raimundo, l'anziano priore del monastero di Big Sur. E il priore della comunità buddista dove Paul aveva vissuto – un signore basso con la faccia tonda e sorridente.

Anche in questo caso si può dire che c'erano tutti. C'era mio fratello, c'erano i monaci di entrambi i monasteri. Un folto gruppo della comunità di surfisti locali. C'erano colleghi, studenti, vicini, tizi con camicie hawaiane, vecchie signore ubriache di punch. C'erano i cani, Otto e il border collie dalle due vite, che è stato battezzato Charlie, a scorrazzare tra le gambe degli invitati.

Molti dei presenti hanno fatto gli occhi umidi e si sono soffiati il naso quando i padroni di casa hanno pronunciato le loro promesse.

E poi ci siamo sbronzati. Compresi molti dei monaci.

Una cantante jazz, un'amica di Paul, soffiava strofe in un microfono da un angolo del giardino e alcune coppie si sono messe a ballare. Io e Aylen ci siamo stretti, dondolando al ritmo della musica, le scarpe che affondavano nell'erba del prato.

Il ritmo della musica stava aumentando. Nonostante il numero di religiosi presenti, credo ti saresti divertito. Ti saresti esibito in uno dei tuoi monologhi.

Oltre a te mancava Brother Lucius. Il monaco dalla vista lunga era rimasto a Big Sur a sorvegliare gli incendi e la coppia di condor sulla scogliera, mi hanno detto. Mi sono tornati gli occhi lucidi. Ho dissimulato il groppo in gola e buttato giù un altro bicchiere.

***

Il giorno successivo, sulla strada del ritorno verso Elfrida, Aylen ha incrociato le gambe sul sedile del passeggero e mi ha sfidato. "Attento, uomo italiano," ha fatto ridendo. "Un giorno di questi potrei volerlo anch'io, un tipo di party come quello di ieri sera."

"Attenta," ho scherzato io. "Potrei prenderti sul serio." Le ho afferrato una mano e l'ho portata alle labbra. "Conoscendo i miei trascorsi, ti fideresti a impegnarti con me?"

Lei mi ha guardato, si è messa a ridere. "Viviamo in mezzo al deserto, di cosa vuoi che mi preoccupi? Che mi tradisci a qualche festa dei giardinieri dell'Arizona meridionale?"

Abbiamo riso insieme. "Dico davvero," ha ripreso. "Se ci sposiamo e ci rivolgiamo a un buon avvocato, potresti non essere più un illegale."

"Dico anch'io davvero," ho risposto. "Guarda che ti prendo sul serio."

Si è tirata una ciocca di capelli dietro l'orecchio. "È proprio il caso che tu mi prenda sul serio," ha detto ammiccando verso il proprio ventre. "È una fortuna che la mia stella marina sia più in alto. Fosse stata sulla pancia, nei prossimi mesi si deformerebbe non poco."

Ho accostato. Eravamo abbondantemente nel deserto. Laggiù si distingueva il fronte di una tempesta di fulmini, stupenda, fantasmagorica, di quelle che il deserto a volte sa offrire.

Siamo rimasti a guardarla a distanza. La brezza ci schiacciava addosso i vestiti.

Sono strane le dinamiche della morte, e lo sono altrettanto quelle della vita. Stavo per diventare padre.

Io e Kareen saremmo diventati genitori, entrambi, nello stesso periodo, a diecimila chilometri di distanza, con partner diversi. E andava bene. Era giusto. Ho stretto Aylen sentendomi grato, respirando l'aria a contatto della sua pelle.

Ho rabbrividito nella brezza calda, l'orizzonte pulsava. Il

cielo, in lontananza, scaricava verso la sabbia saette preziose come le venature di un alabastro.

Era questo che accadeva nel deserto, meraviglia e spavento stavano fianco a fianco. Pulsazione dolore-gioia.

Avremmo avuto un bambino e gli avremmo insegnato a camminare in bilico, e a cercare di farsi spingere, dal flusso e dal vento, ogni volta dalla parte giusta.

***

Per un caso, la prima persona cui mi è capitato di annunciare la novità è stata Cinzia. Ha chiamato poche ore dopo il nostro rientro da Santa Monica. Ho riconosciuto la sua voce e gliel'ho detto d'istinto.

Cinzia ha emesso un grido e mi ha fatto le congratulazioni. "Aspettate tutti un bambino," mi ha canzonato. "C'è un'invasione di spermi iperattivi tra Italia e Stati Uniti."

C'è stata una pausa di silenzio. Era la prima volta che ci risentivamo da prima del funerale.

Voleva parlare della tua eredità. "Hai visto quel che sta succedendo in rete?"

"No," ho fatto. "Che sta succedendo?"

Gli spezzoni dei tuoi monologhi stavano avendo un boom di contatti su Youtube.

Spezzoni dei tuoi rari passaggi televisivi, quelli in cui ironizzavi sui tuoi disturbi depressivi e sulle tue esperienze con psicologi e con terapie alternative. La gente guardava e lasciava commenti accorati. Nascevano nuove pagine sui social network. Un quotidiano voleva uscire con un dvd-raccolta dei tuoi numeri. "Il comico suicida è una storia che tira," ha riflettuto Cinzia. Potevo sentire la sua amarezza attraverso la chiamata intercontinentale. "Si accorgono che c'eri solo quando te ne vai."

"Cristo. Non so se essere contento o disgustato."

"E sapessi le proposte di nuovi ingaggi che sto ricevendo. Diventerò un specie di Courtney Love della scena comica italiana."

Era la tua vedova, ora. Non avevate mai avviato formalmente il divorzio, nessuno dei due aveva soldi per gli avvocati. Ed ecco i soldi della tua nuova popolarità.

"Ci saranno da ripagare un po' di debiti," ha ripreso Cinzia. "Quando sono andata nell'appartamento, era vuoto. Aveva venduto i mobili per sopravvivere. Non c'era più nulla, nemmeno la cucina."

Ho chiuso gli occhi. Le mie tempie pulsavano mentre vedevo il tuo appartamento svuotato. E tu, nudo, solo, sulle piastrelle del bagno.

"Ma se continua così ed esce il dvd," ha proseguito lei, "avanzeranno dei soldi. Bisognerà decidere cosa farne. Io non li terrò, non sarebbe giusto. Non ero più davvero sua moglie. Pensavo a della beneficenza a suo nome, qualcosa del genere, i genitori sono d'accordo."

Ho promesso che avrei pensato a chi si potevano destinare. Le ho detto che ci sentiremo presto.

Più tardi ho controllato in rete, era vero, sei diventato una star del web.

Com'è banale e morboso il mondo. Ti divertiresti a leggere i commenti della gente. Qualcuno ha persino rimesso in giro una serie di tuoi vecchi tweet.

Li ho letti, le tempie hanno ripreso a farmi male. Erano i tweet che avevi scritto all'inizio del nostro viaggio.

In uno raccontavi il divertimento di presentarsi in un monastero indossando magliette horror. Allegavi le foto delle tue magliette. Ecco perché una manciata di fan si era presentata in quel modo al tuo funerale.

Il tweet in cui dicevi di essere in un ristorante dai muri

turchesi, servito al tavolo da una fata turchina. Quello in cui raccontavi della tartaruga sotto la macchina.

Gli aggiornamenti sul viaggio arrivavano alla notte in cui ci eravamo persi nel deserto. Uno degli ultimi diceva: *Mio amico in calore ha adocchiato la cameriera. Carina comunque, starebbero bene insieme.*

La sera ho riferito tutto ad Aylen. Abbiamo riso, una nota rauca nella voce.

Durante la notte ho continuato a svegliarmi e a ridere, sommesso, tra me. Era come tu fossi lì a farmi il solletico. All'alba sono andato in bagno e ho pianto. Mi sono sciacquato la faccia. Vedi com'è strana, amico, la vita di chi resta. Ci occuperemo di fare beneficenza a tuo nome. Continueremo a guardarti nelle finestre di Youtube.

***

Per tutta la vita sono stato circondato da depressi clinici. Tuttora non so cosa sia questa paralisi del sé, questo slabbro interiore.

Lo sforzo impraticabile di autoaccettarsi. La claustrofobia e la mancanza di vie d'uscita. Il guasto costituzionale che impedisce di connettersi al mondo, realmente, intimamente.

Sarebbe qualcosa di rivoluzionario, se i depressi del pianeta smettessero di sentirsi non necessari alla vita. Di pensare che il mondo possa fare a meno di loro. Se ricordassero all'improvviso che, se una qualche geometria intima del cosmo esiste, nessuno può essere dispensabile, sostituibile.

Non so se trovare questa geometria sia compito delle utopie politiche, spirituali o cosa. Ci hanno provato in così tanti.

Forse sono stato il più depresso di tutti quand'ero convinto che ogni possibilità di affetto fosse finita, inutile, annientata, che l'amore fosse il prodotto di una ghiandola per sempre atrofizzata.

O forse non ne so nulla. So che mi ha guarito salire su un altopiano e intuire che l'amore non è un prodotto individuale. Esiste in sé, nonostante le desolazioni umane, esiste come una legge della fisica. Era stupido e presuntuoso pensare che solo perché io lo avevo perso di vista, non esistesse più.

Intuire questo è stato rassicurante e insieme mi ha richiamato alla responsabilità della scelta. Il "fiume" c'era. Volevo tornare a toccarlo?

So inoltre che i cinici del mondo sorridono sprezzanti a discorsi del genere. Non so che farci. La realtà è fatta di intuizioni, non solo di nozioni.

Non c'era alcuna superficialità new age nella cerimonia di Anselmo, nei suoi occhi antichi che avevano visto, subito, la profondità del tuo male. Ricordo il modo in cui cantava per te accanto al fuoco. Nella luce dell'alba pareva quasi che fosse riuscito a guarirti.

Ho provato su quell'altopiano, credo, la cosa più vicina della mia vita a un'esperienza religiosa. Non mi interessa darle un nome, né interpretarla.

Mi basta sapere che c'è dell'altro. Oltre ciò che i miei occhi vedono normalmente, oltre le quinte della realtà.

Persino Rudi a volte si annoia con le definizioni della teologia. Un giorno al telefono mi ha detto cosa pensa veramente di Dio. L'ho immaginato con le sue gambe abbronzate e la sua aria da mistico in bermuda. Ha detto: "Sembra che i capi della mia religione vogliano dare risposte a ogni possibile domanda. Eppure penso che Dio non è una risposta. Dio è un ulteriore stadio della ricerca".

***

Apro gli occhi. C'è una radura al centro di ogni notte e io giaccio sveglio, ascoltando il respiro di Aylen, sfiorando il suo ventre.

Da quando sei morto ogni frammento di felicità è composto di una materia strana, scivolosa e striata. Lastre di felicità che sembrano vetro, da maneggiare con cautela e dai bordi taglienti. Mi sento comunque grato. Nemmeno credevo che potesse esistere, in questa epoca, qualcosa di simile alla felicità.

La cosa difficile è perdonare me stesso. Per le volte che sono stato stupido, che ho ferito, che non ho visto abbastanza, non mi sono reso conto. Stupido, sono stato troppo stupido.

Ma nella radura della notte sento che ci sei, ridi e mi fai il solletico. Rilassati, mi dici.

Ti devo così tanto. A volte sogno che, come il cane risorto quella notte sull'altopiano, anche tu ricompaia all'improvviso, con le tue magliette, il telefono-amuleto, la pelle segnata ai lati della bocca.

Fuori la sabbia emette l'alone verdastro che anticipa l'aurora e il silenzio del deserto contiene mille suoni – così come il bianco contiene i colori.

Ascolto. È tutto lì, Dio, la nostra vita, le copertine dei dischi, i test di gravidanza, i sospiri del sesso, i conti in rosso, le relazioni, le notizie via internet, miliardi di tweet, la nostra depressione, le canzoni che ascoltiamo.

Mi giro lieve. Dal viso di Aylen, nella penombra, emana una bellezza calda. Siamo questo, non siamo altro, siamo soltanto un'onda instabile di calore e bellezza, e così eri tu.

Così sei tu, dovunque sei.

Indice

"I Narratori"

Claudio Piersanti, *I giorni nudi*

Daniel Kehlmann, *Fama. Romanzo in nove storie*

José Saramago, *Caino*

Herta Müller, *L'altalena del respiro*

Tishani Doshi, *Il piacere non può aspettare*

Roberto Moroni, *I migliori di noi*

Ruggero Cappuccio, *Fuoco su Napoli*

Alberto Manguel, *Tutti gli uomini sono bugiardi*

Jonathan Coe, *I terribili segreti di Maxwell Sim*

Jabbour Douaihy, *Pioggia di giugno*

Paolo Rumiz, *La cotogna di Istanbul. Ballata per tre uomini e una donna*

Davide Ferrario, *Sangue mio*

Enrique Vila-Matas, *Dublinesque*

Herta Müller, *Bassure*

Salwa Al-Neimi, *Il libro dei segreti*

Simonetta Agnello Hornby, *La monaca*

Meir Shalev, *È andata così*

Pino Cacucci, *¡Viva la vida!*

Antonio Tabucchi, *Viaggi e altri viaggi*

Laurent Mauvignier, *Degli uomini*

António Lobo Antunes, *Spiegazione degli uccelli*

Giulia Carcasi, *Tutto torna*

Sinan Antoon, *Rapsodia irachena*

Alessandro Mari, *Troppo umana speranza*

Claudia Piñeiro, *Tua*

Stefano Benni, *Le Beatrici*

Ryszard Kapuściński, *Cristo con il fucile in spalla*

Boris Biancheri, *Elogio del silenzio*

Rolf Bauerdick, *Come la Madonna arrivò sulla Luna*

Erri De Luca, *E disse*

Rana Dasgupta, *Solo*

Ilaria Bernardini, *Corpo libero*

Louise Erdrich, *Passo nell'ombra*

Paolo Rumiz, *Il bene ostinato*

Emir Kusturica, *Dove sono in questa storia*

Claudio Fava, *Teresa*

Ricardo Piglia, *Bersaglio notturno*

Susan Abulhawa, *Ogni mattina a Jenin*

Stefano Ferrio, *La partita*

Natan Dubovickij, *Vicinoallozero. Gangsta Fiction*

Ingo Schulze, *Arance e angeli. Bozzetti italiani*

Marco Archetti, *Sabato, addio*

Nataša Dragnić, *Ogni giorno, ogni ora*

Herta Müller, *Oggi avrei preferito non incontrarmi*

Banana Yoshimoto, *High & Dry. Primo amore*

Gioconda Belli, *Nel paese delle donne*

Oliver Harris, *L'impostore*

Marcela Serrano, *Dieci donne*

Nicolas Barreau, *Gli ingredienti segreti dell'amore*

Paolo Di Paolo, *Dove eravate tutti*

Erri De Luca, *I pesci non chiudono gli occhi*

Rabee Jaber, *Come fili di seta*

Enrique Vila-Matas, *Esploratori dell'abisso*

Antonio Tabucchi, *Il piccolo naviglio*

Benedetta Palmieri, *I Funeracconti*

Amos Oz, *Il monte del Cattivo Consiglio*

Peter Carey, *Parrot e Olivier in America*

Davide Longo, *Ballata di un amore italiano*

Alessandro Baricco, *Mr Gwyn*

A.M. Homes, *Musica per un incendio*

Benedetta Cibrario, *Lo scurnuso*

Daniel Glattauer, *In città zero gradi*

Gonçalo M. Tavares, *Imparare a pregare nell'Era della tecnica. La posizione nel mondo di Lenz Buchmann*

Nicola Gardini, *Le parole perdute di Amelia Lynd*

Claudia Piñeiro, *Betibú*

Cesare De Marchi, *L'uomo con il sole in tasca*

Anna Funder, *Tutto ciò che sono*

Ambra Somaschini, *Le regole della nebulosa*

Ali Smith, *C'è Ma Non Si*

Piersandro Pallavicini, *Romanzo per signora*

Laurent Mauvignier, *Storia di un oblio*

Giovanni Montanaro, *Tutti i colori del mondo*

Nicolas Barreau, *Con te fino alla fine del mondo*

Etgar Keret, *All'improvviso bussano alla porta*

Grazia Verasani, *Cosa sai della notte*

Ilaria Mavilla, *Miradar*

Kurt Vonnegut, *Guarda l'uccellino. Racconti inediti*

Stefano Benni, *Di tutte le ricchezze*

Liane Moriarty, *In cerca di Alice*

Jabbour Douaihy, *San Giorgio guardava altrove*

Ilaria Bernardini, *Domenica*

Daniel Pennac, *Storia di un corpo*

Virginia Virilli. *Le ossa del Gabibbo*

Paolo Rumiz, *Trans Europa Express*

Gianni Mura, *Ischia*

Daniel Glattauer, *Per sempre tuo*

Erri De Luca, *La doppia vita dei numeri*

Nadine Gordimer, *Ora o mai più*

John Cheever, *Una specie di solitudine*

Ryszard Kapuściński, *Se tutta l'Africa*

Manuel Vázquez Montalbán, *La bella di Buenos Aires*

Cristina Comencini, *Lucy*